Sommaire

MICHEL DE MONTAIGNE

Des idées que l'on se fait sur soi

(De la présomption)

Avertissement
sur la présente traduction

Il peut sembler à tout le moins curieux – pour ne pas dire *présomptueux* – d'offrir au lecteur une traduction de Montaigne plutôt qu'un texte original, éventuellement dans une orthographe modernisée. Mais pour le lecteur non averti, la lecture des *Essais* a bien souvent des airs de *pensum*. Qu'on le regrette ou non, la langue de Montaigne n'est plus la nôtre. Ce français latinisant du XVIe siècle, mâtiné d'usages régionaux, au vocabulaire parfois exotique, à la graphie flottante et à la ponctuation capricieuse, est pour le lecteur d'aujourd'hui une langue faussement familière. Il lui suffit d'entrer dans le détail pour que la clarté première s'évanouisse et que la confusion règne. À suivre la lettre au plus près, il en perd alors l'esprit… Conscient d'ailleurs de l'évolution inévitable de la langue, Montaigne confiait écrire « pour peu de gens et pour peu d'années », et que, s'il avait estimé que son œuvre méritât de durer, c'est dans une langue plus « ferme » que le français courant qu'il l'aurait composée. « Qui peut espérer, demandait-il encore, que sa forme actuelle soit encore en usage d'ici cinquante ans?[1] »

On peut trouver injustement sévère le jugement que Montaigne porte sur ses *Essais* et considérer *a contrario* qu'à certains égards ils n'ont pas pris une ride. Tel est bien l'apanage des chefs-d'œuvre que d'offrir sous une forme classique des propos d'une grande modernité. Mais suffit-il de voir en Montaigne un parfait *contemporain* pour que l'on *entende* ce qu'il a à dire? Les *Essais* ont beau être un monument de la littérature philosophique française, c'est en France que sa lecture est majoritairement réservée aux érudits. Ce n'est pas le moindre des paradoxes, en effet, que les lecteurs étrangers aient sur les lecteurs français cet avantage considérable d'accéder plus directement, par les traductions mêmes qu'on leur propose dans leur langue contemporaine, aux idées du philosophe.

Telle est donc l'ambition de la présente traduction : offrir au lecteur non averti une *expérience de lecture immédiate*, rendant accessibles les idées de Montaigne sans sacrifier (trop) la beauté et le rythme propre de l'écriture.

Pour ce faire, je m'en suis tenu à quelques principes : suivre au maximum le texte quand la compréhension est aisée, et adopter des équivalents quand la clarté l'exige. En bien des endroits, en effet, le texte original présente des obscurités, leur interprétation impose de faire un choix, d'en trancher le sens quitte parfois à s'éloigner de la lettre du texte. C'est pourquoi j'ai choisi d'expliciter le titre même de l'essai « De la présomption », qui évoque spontanément au lecteur d'aujourd'hui aussi bien l'idée de la simple supposition que celle de la prétention ou de la suffisance. Le titre que je propose « Des idées que l'on se fait sur soi » prend le parti de situer d'emblée cet essai sous l'angle de la peinture du moi et de la nature inconstante du jugement. Autre exemple, quand Montaigne parle de son ami La Boétie, il écrit : « C'était vrayement un'ame pleine, et qui montroit un beau visage à tout sens ; un'ame à la vieille marque, et qui eust produict de grands effects, si la fortune l'eust voulu. » Je traduis : « C'était vraiment une âme pleine, et qui présentait un bel aspect à tout point de vue ; une âme à l'antique, et qui eût produit de grandes choses, si seulement le sort l'avait voulu[2]. » Je me suis également gardé de traduire tel terme systématiquement par tel autre : là où Montaigne emploie uniformément le terme « ceremonie (cérémonie) », il m'a paru plus pertinent de traduire tantôt par « conventions » (au pluriel) (« Nous ne sommes que conventions »), tantôt par « convenances » (« Les convenances nous défendent de parler des choses licites et naturelles »), une autre fois encore par « bienséance » (« Je me trouve ici entravé par les règles de la bienséance[3] »).

J'ai aussi tâché d'abandonner les archaïsmes que, par un respect excessif, on s'honore habituellement de conserver : la fameuse « librairie » n'est autre que la « bibliothèque » (ce que le traducteur anglais a bien raison de traduire littéralement par *library*). J'ai toutefois conservé les unités de mesure de l'époque (« Caius Marius n'engageait pas volontiers de soldats qui ne soient hauts de six pieds » ; « Un homme qui pense à autre chose ne manquera pas, à un pouce près, de refaire toujours le même nombre et la même longueur de pas »), car il ne s'agit pas de faire des *Essais* un texte écrit hier ou ce matin.

Dans un souci de cohérence, j'ai choisi de donner directement en français moderne les citations qui émaillent le texte de Montaigne et de rejeter en note la version latine originale.

Sans doute les réticences à l'égard d'une traduction française de Montaigne témoignent-elles du rapport presque sacré que nous entretenons avec la culture, lequel oscille continuellement entre la

révérence portée à ce qui *dure* et l'aspiration irré-
pressible au renouvellement, à la *création* à venir.
Mais ce respect que nous inspirent les grandes
œuvres ne devrait-il pas tenir bien plus aux trésors
mêmes qu'elles recèlent qu'à leur seule qualité patri-
moniale? Chacun sait que leur fréquentation régu-
lière permet justement de les aborder sans craindre
de manquer à leur sacralité. C'est l'idée simple qui
anime le traducteur : permettre à un lecteur de *lire*
un texte, de se l'approprier, d'en tirer à son tour les
moyens d'une édification personnelle plutôt que de
réduire l'œuvre à un objet de culte, qu'il convient
de placer dans un reliquaire ou un musée. À ce
compte, je préfère encore passer pour un vil profa-
nateur que pour un triste antiquaire...

Christophe SALAÜN

Des idées que l'on se fait sur soi
(De la présomption)

Il y a une autre sorte de vanité[4] : c'est cette trop bonne opinion que nous concevons de notre mérite. C'est une affection exagérée par laquelle nous nous flattons et qui nous présente à nous-mêmes autres que nous ne sommes, de la même manière que la passion amoureuse, en prêtant des beautés et des grâces au sujet qu'elle embrasse, fait que ceux qui en sont épris trouvent, d'un jugement trouble et altéré, ce qu'ils aiment autre et plus parfait qu'il n'est. Je ne veux pas que pour autant, de peur de tomber dans cet excès-là, un homme en vienne à se méconnaître et à croire qu'il vaut moins que ce qu'il est : le jugement doit toujours et partout maintenir son droit et c'est avec raison qu'il voit dans ce sujet comme en d'autres ce que la vérité lui présente. S'il s'agit de César, qu'il se voie donc comme le plus grand capitaine au monde !

Mais nous ne sommes que conventions : les formes nous emportent et nous délaissons la substance des choses; nous nous tenons aux branches et abandonnons le tronc. Nous avons appris aux dames à rougir en entendant seulement nommer ce qu'elles ne craignent nullement de faire; nous n'osons appeler nos membres par leur nom et ne craignons pourtant pas de les employer à toutes sortes de débauche. Les convenances nous défendent de parler des choses licites et naturelles, et nous les respectons; la raison nous défend d'en faire d'illicites et de mauvaises, et tout le monde s'en moque. Je me trouve ici entravé par les règles de la bienséance, car elles ne permettent pas que l'on parle bien de soi, ni que l'on en parle mal. Nous les laisserons donc là pour ce coup.

Ceux qui doivent au hasard (qu'on l'appelle heureux ou malheureux) d'avoir occupé dans leur vie de hautes fonctions peuvent par leurs actions publiques témoigner de leur véritable mérite; mais tous ceux qui sont restés dans la foule et dont personne ne parlera jamais si eux-mêmes ne le font, sont excusables s'ils prennent l'initiative de parler d'eux à ceux qui ont tout intérêt à les connaître, à l'exemple de Lucilius :

Il confiait tous ses secrets à son papier
Comme à un ami fidèle;
Qu'il en arrivât du bien ou du mal,

Jamais il ne chercha d'autres confidents.
Aussi le voit-on tout entier dans ses ouvrages,
Comme dans un tableau qu'il aurait voulu
Consacrer aux dieux[5].

Il confiait donc à son papier ses actions et ses pensées et s'y peignait tel qu'il se sentait être. Pour l'avoir fait,

Rutilius et Scaurus n'en ont pas été moins crus ni moins estimés[6].

Je me souviens donc que, dès ma plus tendre enfance, on remarquait chez moi je ne sais quelle façon de me tenir et des gestes qui témoignaient d'une certaine fierté sotte et vaine. Je dirais d'abord qu'il n'est pas gênant d'avoir des dispositions et des penchants si personnels et si profondément inscrits en nous que nous n'avons pas moyen de les sentir ou de les reconnaître. Le corps garde quelque pli de telles inclinations naturelles, sans que nous n'en prenions conscience ni que nous n'y consentions. C'était avec une certaine coquetterie qui seyait à sa beauté qu'Alexandre penchait un peu la tête sur le côté ou qu'Alcibiade parlait d'une voix suave et grasseyante. Jules César se grattait la tête avec un doigt, ce qui est la contenance d'un homme habité de pensées pénibles, et Cicéron, me semble-t-il, avait l'habitude de froncer le nez, ce qui est le signe d'un naturel moqueur. De tels mouvements peuvent se produire de manière imperceptible en nous. Il en est d'autres qui sont artificiels, et dont je ne parlerai pas, comme les salutations et les révérences par lesquelles on acquiert, le plus souvent à tort, l'honneur d'être humble et courtois. On peut être humble par vanité !

Je suis assez prodigue de coups de chapeau, même en été, et je n'en reçois jamais de quiconque sans y répondre, du moins si celui qui me salue n'est pas à mes gages. J'aimerais bien que certains princes que je connais en soient pour leur part plus économes et de plus justes dispensateurs car, à les distribuer sans discernement, ils ne portent plus. Quand les saluts sont sans égard, ils sont sans effet. Parmi les attitudes excessives, n'oublions pas la morgue de l'empereur Constance[7] qui, en public, se tenait toujours la tête droite, sans la tourner ni la pencher d'un côté ou de l'autre, pas même pour regarder ceux qui le saluaient. Il gardait le corps planté et immobile, sans se laisser aller au mouvement de sa voiture, sans oser ni cracher ni se moucher ni même s'essuyer le visage devant les gens.

Je ne sais si ces gestes qu'on remarquait en moi étaient de cette nature et si, à la vérité, j'avais une tendance secrète à ce défaut. C'est bien possible mais je ne peux répondre des mouvements du corps. Mais pour ce qui est des mouvements de l'âme, je veux dire ici ce que j'en perçois.

Il y a deux éléments dans cette vanité, à savoir : trop s'estimer soi-même et ne pas estimer assez les autres. Pour l'une, il me semble d'abord qu'il faut prendre en compte ceci : je suis à la merci d'un défaut de mon esprit, qui me déplaît non seulement parce qu'il est injuste mais encore parce qu'il sème le trouble en moi. Je m'efforce de le corriger mais je ne peux l'extirper : je ne peux m'empêcher de diminuer le juste prix des choses que je possède et de hausser le prix de celles qui me sont étrangères, absentes et non miennes. Ce défaut s'étend bien loin. De même que du fait de l'autorité qu'ils ont sur elles, les maris regardent leurs propres femmes avec un injuste dédain, comme le font aussi parfois les pères avec leurs enfants, j'en fais moi-même autant, et entre deux ouvrages semblables je penche toujours contre le mien, non pas tant parce que le soin jaloux que j'accorde à mon progrès et à mon amélioration trouble mon jugement et m'empêche d'être satisfait, que parce que le seul fait d'être maître de quelque chose engendre le mépris de ce qu'on a et que l'on tient. Les sociétés, les mœurs et les langues loin- taines font mes délices et je m'aperçois que le latin me séduit par sa dignité bien au-delà de sa valeur, comme il en impose aux enfants et au petit peuple. L'administration domestique, la maison et le cheval de mon voisin, à valeur égale, valent mieux que les miens, du fait qu'ils ne sont pas miens, d'autant plus que je suis très ignorant de mes propres affaires. J'admire l'assurance et les certitudes dont chacun fait montre pour lui-même alors qu'il n'y a presque rien que je sois sûr de savoir vraiment ou que je sois certain de pouvoir faire. De l'état de mes moyens, que ce soit par provision ou par inventaire, je ne sais rien et je n'en suis instruit qu'après coup : je doute autant de mes forces que de celles d'un autre. Si bien que s'il arrive que je réussisse de manière louable dans une affaire, je l'attribue davantage à la chance qu'à moi-même, d'autant plus que j'en forme généralement le dessein au hasard et toujours avec inquiétude. Pareillement, j'ai généralement tendance, parmi toutes les opinions que l'Antiquité a eues sur l'homme en général, à embrasser et à adopter le plus volontiers celles qui nous méprisent, nous avilissent et nous anéantissent le plus. La philosophie ne me semble jamais avoir si beau jeu que quand elle combat notre présomption et notre vanité, quand elle reconnaît de bonne foi son irré-solution, sa faiblesse et son ignorance. Il me semble que la mère nourricière des fausses opinions aussi bien publiques que particulières, c'est la trop bonne opinion que l'homme a de lui-même. Ces gens qui se perchent à califourchon sur l'épicycle de Mercure et qui voient si loin dans le ciel m'exaspèrent! Car dans l'étude que je mène et dont l'homme est le sujet, je trouve une telle variété de jugements, un si profond labyrinthe de difficultés mêlées les unes aux autres, tant d'avis divers et d'incertitudes dans la philosophie elle-même... Comment croire que ces gens-là qui n'arrivent déjà pas à s'entendre sur la connaissance qu'ils ont d'eux-mêmes et de leur propre condition corporelle, pourtant continuellement présente à leurs yeux, qui ne savent comment se meut ce qu'eux-mêmes mettent en mouvement, ni comment décrire et déchiffrer les ressorts qu'ils tiennent et manient, comment les croire, dis-je, au sujet de la cause du flux et du reflux du Nil? La curiosité de connaître les choses a été donnée aux hommes en guise de fléau, dit la Sainte Écriture.

Mais pour en revenir à mon cas particulier, il est bien difficile, me semble-t-il, qu'aucun autre s'estime moins, voire qu'aucun autre m'estime moins que ce que je m'estime. Je me considère comme quelqu'un de très commun sauf en ceci que je me sais coupable des défauts les plus bas et les plus vulgaires, et je ne les nie pas ni ne les excuse. Je m'estime seulement de ce que je sais mon prix. S'il y a de la présomption en moi, elle est superficielle, infuse comme une faiblesse de mon tempérament, mais elle n'a pas, d'après moi, plus de réalité que cela. J'en suis arrosé mais pas teint. Car à la vérité, pour ce qui est des actes de l'esprit, de quelque façon que ce soit, je n'ai jamais rien produit qui me satisfasse et l'approbation d'autrui ne me contente pas. J'ai le goût tendre et difficile, notamment à mon égard. Je me désavoue sans cesse et me sens partout flotter et fléchir de faiblesse. Je ne possède rien qui puisse satisfaire mon jugement. J'ai la vue assez claire et réglée, mais à l'ouvrage elle se trouble. J'en fais clairement l'expérience en poésie. J'aime celle-ci infiniment, je suis assez bon juge dans les ouvrages des autres, mais à la vérité je ne suis qu'un enfant quand je veux y mettre moi-même la main, et je ne supporte pas ce que j'écris. On peut faire le sot partout ailleurs mais pas en poésie :

Personne ne pardonne la médiocrité aux poètes.
Ni les dieux, ni les hommes,
Ni les colonnes des portiques
Où sont affichés les ouvrages nouveaux[8].

Plaise à Dieu que cette sentence se trouve au fronton des boutiques de tous nos imprimeurs pour en défendre l'entrée à tant de versificateurs !

Mais rien n'est si confiant qu'un mauvais poète[9].

Que n'avons-nous de peuples tels que ceux-ci! Denys l'Ancien[10] n'estimait rien tant, chez lui, que sa poésie. À la saison des Jeux Olympiques, avec des chariots surpassant tous les autres en magnificence, avec des tentes, des pavillons dorés et tapissés royalement, il envoya aussi des poètes et des musiciens pour présenter ses vers. Quand on commença à les faire déclamer, l'excellente qualité de la diction attira d'abord l'attention de la foule mais quand, par la suite, elle vint à peser combien l'ouvrage était inepte, elle éprouva d'abord du mépris et, son jugement continuant d'être aigri, elle se jeta bientôt en furie et courut abattre et déchirer de colère tous les pavillons. Et comme les chars de Denys n'avaient pas fait non plus rien qui vaille à la course et que le navire qui ramenait ses gens, ayant manqué la Sicile, fut poussé par la tempête et se fracassa contre la côte de Tarente, on tint pour certain que cela était dû à la colère des dieux irrités contre ce mauvais poème. Et même les marins qui avaient échappé au naufrage partageaient l'opinion du peuple. L'oracle qui prédit sa mort à Denys sembla d'ailleurs également souscrire à cette opinion. Il annonçait qu'il verrait sa fin arriver quand il aurait vaincu ceux qui vaudraient mieux que lui. Ce que Denys interpréta en pensant aux Carthaginois qui le surpassaient en puissance ; et quand il avait affaire à eux, il évitait souvent la victoire et la tempérait pour échapper au malheur prédit. Mais il interprétait mal cet oracle : le dieu annonçait à la vérité le moment où, à Athènes, il fit jouer dans un concours sa pièce intitulée *Les Lénéiens*[11] et prit l'avantage, par faveur et injustice, sur les poètes tragiques qui étaient meilleurs que lui. Peu après cette victoire Denys trépassa, en partie pour la joie excessive qu'il en avait tiré.

Ce que je trouve excusable chez moi, ne l'est pas en soi et réellement, mais par comparaison avec d'autres choses bien pires auxquelles je vois qu'on donne crédit. J'envie le bonheur de ceux qui savent trouver joie et récompense dans leur ouvrage : c'est un moyen facile de se donner du plaisir puisqu'on le tire de soi-même. Spécialement si on met de la fermeté dans sa détermination. Je connais un poète à qui les forts et les faibles, la foule et les proches, le ciel et la terre, crient qu'il ne s'y entend guère. Malgré cela, il ne rabat rien de la stature qu'il s'est donnée : toujours il recommence, toujours il réfléchit et toujours il persiste, et avec d'autant plus de force et de fermeté dans son avis qu'il tient à lui seul de le maintenir. Pour ce qui est de mes ouvrages, il s'en faut de beaucoup qu'ils me plaisent. À chaque fois que je les réexamine, j'en suis déçu et dépité :

Quand je les relis, j'en ai honte;
Car j'y vois bien des choses qui, même aux yeux
Indulgents de leur auteur,
Méritent d'être effacées[12].

Comme dans un songe, j'ai toujours confusément dans l'esprit une idée ou une image qui me présente une meilleure forme que celle que j'ai mise en œuvre, mais je ne parviens ni à la saisir ni à l'exploiter; et encore cette idée n'est-elle que de qualité médiocre. J'en conclus que les productions de ces riches et grands esprits du temps passé excèdent de très loin les limites de mon imagination et de mes souhaits : leurs écrits ne me satisfont pas seulement et me comblent mais ils me frappent et me saisissent d'admiration. Je juge leur beauté, je la vois, sinon toute entière, du moins aussi loin qu'il m'est impossible d'y parvenir moi-même. Quoi que j'entreprenne, je dois un sacrifice aux Grâces, comme le dit Plutarque de quelqu'un, pour gagner leur faveur :

Car tout ce qui plaît, tout ce qui charme les sens,
C'est aux Grâces qu'on le doit[13].

Mais hélas, elles m'abandonnent toujours : tout est grossier chez moi, tout manque d'élégance et de beauté. Je ne sais pas faire valoir les choses pour plus que ce qu'elles valent. Ma manière de faire n'apporte rien à la matière, c'est pourquoi il me la faut forte, qu'elle offre bien prise et qu'elle brille d'elle-même. Quand je me saisis de sujets populaires et plus gais, c'est pour mieux suivre ma tendance naturelle, moi qui n'aime pas, comme tout le monde, qu'une sagesse soit triste et convenue, c'est pour me faire plaisir à moi-même, non pour égayer mon style qui préfère les choses graves et sévères ; du moins s'il est permis d'appeler « style » une façon de parler informe et sans règle, un jargon populaire, une manière de procéder imprécise, confuse, sans division ni conclusion, à la manière d'Amafanius et de Rabirius[14].

Je ne sais ni plaire ni réjouir, ni chatouiller agréablement : la meilleure histoire du monde se dessèche et se ternit entre mes mains. Je ne sais parler qu'avec sérieux et je suis absolument dénué de cette facilité que je remarque chez plusieurs de mes compagnons d'entretenir les premiers venus et tenir en haleine toute une troupe ou amuser sans le lasser l'oreille d'un prince de toutes sortes de propos ; la matière ne leur manque jamais car ils ont cette grâce de savoir utiliser la première venue et l'accommoder à l'humeur et à la portée de ceux à qui ils ont affaire. Les princes n'aiment guère les sujets sérieux, ni moi raconter des histoires. Les arguments principaux et les plus faciles qui sont généralement les mieux compris, je ne sais pas comment les employer : je suis un mauvais prêcheur en public ! Sur tout sujet, je dis volontiers les choses les plus importantes que j'en sais. Cicéron estime que dans les traités de philosophie la partie la plus difficile est l'exorde. S'il en est ainsi, il est sage que j'aille directement à la conclusion.

Il faut pourtant accorder la corde à toute sorte de tons, et le plus aigu est celui qui est le moins souvent joué. Il y a au moins autant de perfection à élever un sujet creux qu'à en soutenir un grave : tantôt il faut superficiellement manier les choses, tantôt les approfondir. Je sais bien que la plupart des hommes se tiennent en ce bas étage, car ils ne conçoivent une chose que par sa première écorce ; mais je sais aussi que l'on voit souvent les plus grands maîtres, notamment Xénophon et Platon, se relâcher à cette façon basse et populaire de dire les choses, tout en ne manquant jamais de la soutenir par quelque formule pleine de grâce.

Au demeurant, mon langage n'a rien de facile et de poli : il est rude et dédaigneux, libre et sans règles ; et il me plaît ainsi, non selon mon jugement, mais par mon inclination naturelle. Mais je sens bien que parfois je m'y laisse trop aller et qu'à force de vouloir éviter l'art et l'affectation, j'y retombe d'un autre côté :

J'évite d'être long et je deviens obscur[15].

Platon dit que la longueur ou la brièveté ne sont pas des propriétés qui ôtent ou donnent du prix à un langage.

Quand bien même j'envisagerais d'adopter un style égal, uni et ordonné, je ne saurais y parvenir. Et bien que les rythmes et les périodes de Salluste conviennent mieux à mon goût, je trouve César plus grand et moins facile à imiter ; et si mon tempérament me porte plus à l'imitation du style de Sénèque, je ne manque pas d'estimer davantage celui de Plutarque. Qu'il s'agisse d'agir ou de parler, je suis tout simplement ma pente naturelle : c'est pourquoi je suis peut-être plus à l'aise quand je parle que quand j'écris. Le mouvement et les gestes animent les paroles, notamment chez ceux qui, comme moi, s'agitent brusquement et s'échauffent en parlant : le port, le visage, la voix, l'habit, l'attitude peuvent donner du prix à des choses qui, comme le bavardage le plus creux, n'en ont guère par elles-mêmes. Messala se plaint dans Tacite des vêtements étriqués de son époque et de la façon dont étaient faits les bancs d'où parlaient les orateurs, et qui affaiblissaient leur éloquence.

Mon français est altéré, dans sa prononciation et dans d'autres domaines, par la barbarie de mon terroir. Je n'ai jamais vu un homme de nos contrées qui ne fasse nettement sentir son accent et ne blesse les oreilles purement françaises. Pourtant ce n'est pas que je m'y entende bien en périgourdin : je n'en ai pas plus d'usage que de l'allemand et cela m'est égal. C'est un langage mou, traînant, bavard, comme le sont autour de moi, de part et d'autre, le poitevin, le saintongeois, l'angoumoisin, le limousin, l'auvergnat. Il y a bien, au-dessus de nous, vers les montagnes, un gascon que je trouve singulièrement beau, sec, bref, expressif, et c'est, à la vérité, un langage mâle et militaire plus qu'aucun autre que je comprenne ; il est aussi nerveux, puissant et direct que le français est gracieux, délicat et riche.

Quant au latin qui m'a été donné comme langue maternelle, j'ai perdu, par manque d'habitude, la facilité de pouvoir le parler et même de l'écrire, ce qui autrefois me faisait appeler « Maître Jean ». Voilà quel est mon peu de valeur de ce côté-là.

La beauté est une qualité inestimable dans les relations entre les hommes, c'est même le premier moyen par lequel chacun s'attire la faveur et la sympathie de l'autre, et il n'est pas d'homme si barbare et si hargneux qui ne se sente frappé par sa douceur. Le corps est pour une grande part dans ce que nous sommes, il y tient un rang de premier ordre ; c'est pourquoi il est juste de prendre en considération sa structure et sa conformation. Ceux qui veulent disjoindre nos deux parties principales et les garder séparées l'une de l'autre ont tort. Au contraire, il faut les rassembler et les joindre. Il faut ordonner à l'âme, non de se retirer dans ses quartiers et de ne penser qu'à elle, de mépriser et d'abandonner le corps (ce qu'elle ne saurait d'ailleurs faire qu'au prix de quelque singerie), mais de se rallier à lui, l'embrasser, le chérir, l'assister, le contrôler, le conseiller, l'épouser en somme et lui servir de mari, pour que leurs actions ne paraissent pas si différentes et si contraires mais uniformes et accordées. Les chrétiens sont particulièrement instruits de cette liaison car ils savent que la justice divine tient à cette association, cette articulation du corps et de l'âme, au point de rendre le corps capable de récompenses éternelles ; ils savent aussi que Dieu regarde l'homme agir comme un tout et veut qu'il reçoive comme tel un châtiment ou une récompense selon ses mérites.

L'école péripatéticienne[16], qui est de toutes les écoles philosophiques la plus en accord avec les exigences de la vie sociale, attribue à la sagesse le soin de pourvoir et de procurer en commun le bien à ces deux parties réunies ; elle montre ainsi que les autres écoles, pour n'avoir pas pris en considération cette réunion, sont coupables de la même erreur, car en prenant parti, l'une pour le corps, l'autre pour l'âme, elles se sont écartées de leur sujet, qui est l'homme, et de leur guide, qu'elles reconnaissent en général être la Nature.

Il est vraisemblable que c'est à cet avantage de la beauté que les hommes doivent la première distinction qui ait été entre eux et qui donnât aux uns la prééminence sur les autres :

> *Le partage des terres fut réglé à proportion*
> *De la beauté, de la force et de l'esprit ;*
> *Car la beauté et la force étaient les premières distinctions*[17].

Or moi je suis d'une taille un peu inférieure à la moyenne. Ce défaut n'a pas seulement de la laideur, il est aussi un inconvénient, pour ceux surtout qui commandent et ont des charges, car il leur manque cette autorité que donnent une belle prestance et la majesté du corps.

Caius Marius[18] n'engageait pas volontiers de soldats qui ne soient hauts de six pieds[19]. Le « courtisan[20] » a bien raison de souhaiter au gentilhomme qu'il décrit une taille ordinaire plutôt qu'une autre et de lui refuser toute particularité qui le fasse montrer du doigt. Mais à choisir, si c'est un militaire, je le préférerais grand. Les petits hommes, dit Aristote, sont bien jolis mais non pas beaux; et c'est à la grandeur qu'on reconnaît un grand esprit, comme la beauté à un corps grand et haut. Les Éthiopiens et les Indiens, dit-il, quand ils élisaient leurs rois et leurs magistrats, tenaient compte de leur beauté et de leur taille. Ils avaient raison, car voir un chef d'une belle et haute taille marcher à la tête d'une troupe inspire non seulement du respect à ceux qui le suivent mais aussi de l'effroi à l'ennemi :

> *À la tête des guerriers on voit marcher Turnus,*
> *Les armes à la main ;*
> *Sa taille est haute, et il passe de la tête*
> *Tous ceux qui l'entourent*[21].

Notre grand roi, divin et céleste, dont chaque particularité doit être considérée avec soin, religion et révérence, n'a pas davantage refusé la distinction corporelle, *au plus beau d'entre les fils des hommes*[22]. Et Platon, avec la tempérance et le courage, souhaite aussi la beauté aux gardiens de sa République.

C'est très vexant que l'on s'adresse à vous au milieu de vos gens pour vous demander : « Où est Monsieur ? », et que vous n'ayez que le reste du coup de chapeau que l'on adresse à votre barbier ou à votre secrétaire ! C'est ce qui arriva au pauvre Philopœmen[23] : comme il était arrivé le premier de sa troupe dans un logis où on l'attendait, son hôtesse, qui ne le connaissait pas et lui trouvait assez mauvaise mine, le pria d'aller aider un peu ses femmes à puiser de l'eau ou à attiser le feu, pour le service de Philopœmen ! Quand les gentils-hommes de sa suite arrivèrent et le trouvèrent ainsi employé à ces nobles besognes (car il n'avait pas manqué d'obéir aux ordres qu'on lui avait donnés), ils lui demandèrent ce qu'il faisait là : « Je paie, leur répondit-il, le prix de ma laideur. »

Les autres beautés sont pour les femmes : seule la beauté de la taille est la beauté des hommes. Quand on est petit, un front large et rond, des yeux clairs et doux, un nez menu, des oreilles ou une bouche petites, des dents blanches et régulières, une barbe épaisse et unie couleur châtaigne, des cheveux bouclés, une tête bien ronde, le teint frais, un visage à l'air agréable, l'absence d'odeurs corporelles, des membres justement proportionnés, rien de tout cela ne peut faire un bel homme. Au demeurant, j'ai moi-même la taille forte et ramassée, le visage, non pas gras, mais plein ; le tempérament entre le jovial et le mélancolique, moyennement sanguin et chaud,

Aussi ai-je la poitrine
Et les cuisses hérissées de poil[24].

J'ai la santé forte et vigoureuse, rarement troublée par les maladies, et ce jusqu'à un âge avancé. Du moins j'étais ainsi car je ne le suis plus maintenant que je suis engagé dans les avenues de la vieillesse, ayant depuis longtemps passé l'âge de quarante ans :

Peu à peu, les forces et la vigueur s'épuisent,
Et notre être va toujours en déclinant[25].

Ce que je serai dorénavant, ce ne sera plus qu'un demi-être, ce ne sera plus vraiment moi. Je m'échappe et me dérobe à moi-même chaque jour,

Les années qui passent nous dérobent
Sans cesse quelque portion de nous-mêmes[26].

Je n'ai jamais été ni adroit ni agile, pourtant je suis le fils d'un père très alerte, doté d'une vitalité qu'il conserva jusque dans son extrême vieillesse. Il ne s'est jamais trouvé un homme de sa condition qui l'égale dans le moindre exercice physique, comme je n'en ai pas trouvé moi-même qui ne me surpasse, sauf à la course car j'étais dans la moyenne. En musique, ni pour le chant où j'ai peu de disposition, ni pour les instruments, on n'a jamais su m'apprendre quoi que ce soit. À la danse, au jeu de paume, à la lutte, je n'ai pu acquérir au mieux qu'une bien ordinaire et modeste habileté; à la nage, à l'escrime, à la voltige et au saut, rien du tout. J'ai les mains si malhabiles que je ne sais pas même écrire pour moi si bien que ce que j'ai griffonné, j'aime encore mieux le refaire que de me donner la peine de le démêler. Et je ne lis pas mieux : je sens que je pèse à ceux qui m'écoutent. À part cela, je suis bon clerc! Je ne sais pas plier une lettre ni ne sus jamais tailler une plume digne de ce nom, ni découper une viande à table, ni harnacher un cheval, ni porter un oiseau au poing et le lâcher, ni commander aux chiens, aux oiseaux, aux chevaux. Mes qualités physiques sont en somme bien accordées à celles de mon âme! Rien d'exceptionnel, seulement une vigueur pleine et ferme : je suis dur à la peine mais seulement si je m'y porte moi-même et tant que mon désir m'y conduit :

Car le plaisir qui accompagne le travail
En fait oublier la fatigue[27].

Autrement, si je ne suis alléché par quelque plaisir et si j'ai un autre guide que ma pure et libre volonté, je ne vaux rien. Car j'en suis au point que, si ce n'est pour ma santé ou ma vie, il n'y a rien qui mérite à mes yeux que je me ronge les ongles et que je sois prêt à acheter au prix de la contrainte et des tourments :

Non, je ne voudrais point à ce prix-là
Tout le sable du Tage,
Avec l'or qu'il roule dans la mer[28].

D'un esprit extrêmement oisif et libre, par tempérament et par volonté, je donnerais aussi volontiers mon sang que mes soucis. Mon âme n'appartient qu'à elle-même, elle est habituée à se conduire à sa guise : n'ayant eu jusqu'à présent ni chef ni maître imposé, j'ai marché aussi loin et du pas qu'il m'a plu. Cela m'a amolli et rendu inutile pour le service des autres, et ne m'a fait bon qu'à moi. Et je n'ai pas eu besoin de forcer ce naturel pesant, paresseux et fainéant car, m'étant trouvé dès ma naissance dans une telle situation de fortune que j'ai pu m'en satisfaire, et étant doté de suffisamment de bon sens pour comprendre que je le pouvais, je n'ai rien cherché ni rien acquis non plus :

Le Zéphyr n'enfle pas mes voiles, il est vrai,
Mais l'Aquilon ne trouble pas ma course paisible.
Je suis en force, en talent, en figure,
En vertu, en naissance, en biens,
Des derniers de la première classe,
Mais des premiers de la dernière[29].

Je n'ai eu besoin que de savoir m'en contenter, ce qui, à la vérité, est une règle de vie difficile, quelle que soit la condition sociale, mais qui, en pratique, semble plus facile à suivre pour ceux qui sont généralement dans l'indigence que pour ceux qui vivent dans l'opulence. Peut-être parce que, comme il en va pour nos autres passions, la faim des richesses est plus aiguisée par leur usage que par leur manque, et la vertu de la modération est plus rare que celle de la patience. Je n'ai donc eu besoin que de jouir doucement des biens que Dieu par sa libéralité m'avait mis entre les mains. Je n'ai eu à tâter d'aucune sorte de travail fastidieux, n'ayant eu à m'occuper que de mes seules affaires, ou alors, s'il s'agissait de celles des autres, c'était à la condition que je m'en acquitte à ma façon et à mon rythme. Encore m'étaient-elles confiées par des gens qui me connaissaient et me faisaient confiance et qui ne me pressaient pas. Car les gens habiles savent encore tirer quelque service d'un cheval rétif et poussif !

Mon enfance elle-même a été conduite d'une façon douce et libre, exempte d'obéissance rigoureuse. Tout cela m'a donné un caractère délicat et si peu capable de supporter le moindre tracas que je préfère encore qu'on me cache mes pertes et les désordres qui me touchent. Au chapitre de mes dépenses, je compte ce que ma nonchalance me coûte à nourrir et à entretenir

> *tout ce qui échappe aux yeux du maître*
> *Et dont les voleurs tirent profit*[30].

J'aime mieux encore ne pas avoir le compte de ce que j'ai, pour sentir moins exactement ma perte, et je prie ceux qui vivent avec moi, quand ils manquent d'affection et de bonnes actions, de me tromper et de me payer de bonnes apparences. Faute de pouvoir supporter avec fermeté les désagréments des aléas de la vie qui nous contrarient le plus, et de me tenir prêt à régler et à ordonner moi-même mes affaires, en m'abandonnant complètement à la Fortune, je nourris en moi autant que je le puis l'opinion de prendre toutes choses au pire et de me résoudre à endurer ce pire-là, avec une douce résignation et en patience. C'est à cela seulement que je travaille, c'est le but vers lequel je conduis toutes mes réflexions.

En présence d'un danger, ce n'est pas tant au moyen d'y échapper que je songe mais combien il importe peu que j'y échappe : quand j'y resterais, qu'est-ce que cela ferait? Ne pouvant régler les événements, je me règle moi-même, et je m'adapte à eux, s'ils ne s'adaptent à moi. Je n'ai guère de talent pour éviter les caprices du hasard et lui échapper ou le forcer, ni pour dresser et conduire avec habileté les choses dans mon intérêt : j'ai encore moins de patience pour supporter le soin rude et pénible qu'il faut à cela ; et la situation qui m'est la plus pénible, c'est encore de rester en suspens au milieu d'affaires pressantes, tiraillé entre la crainte et l'espérance. Avoir à choisir, même parmi les choses les plus légères, me dérange, et il est plus difficile pour mon esprit de supporter l'agitation et les secousses du doute et de la réflexion, que de se fixer et se résoudre à quelque parti que ce soit, une fois que le sort en est jeté. Peu de passions m'ont troublé le sommeil, mais la moindre décision à prendre le fait. De même que dans les chemins j'évite les côtés pentus et glissants et me porte volontiers dans leur passage le plus boueux où l'on s'enfonce le plus, car ainsi, comme je ne peux aller plus bas, je m'y trouve en sécurité ; de même, je préfère les malheurs bien nets qui, d'un coup, me poussent tout droit dans la souffrance. Au moins ils ne m'éprouvent ni ne me tracassent plus par l'incertitude où je suis de les prévenir ou de les atténuer :

L'incertitude est un tourment de plus[31].

Face aux événements je me comporte en homme ; mais quand il s'agit de conduire mes affaires, je suis comme un enfant : la crainte de la chute me donne plus de fièvre que la chute elle-même. Le jeu ne vaut pas la chandelle : l'avare se tire plus mal de sa passion que le pauvre, et le jaloux que le cocu. De même qu'il est souvent moins pénible de perdre sa vigne que de plaider pour la conserver. La marche la plus basse est aussi la plus solide : c'est le siège de la fermeté. Vous n'y avez besoin que de vous-même; elle est son propre fondement, et repose entièrement sur elle-même.

L'exemple de ce gentilhomme que bien des gens ont connu, n'a-t-il pas un air philosophique? Il se maria à un âge déjà fort avancé, ayant passé sa jeunesse en bon compagnon, grand raconteur d'histoires, grand railleur. N'oubliant pas combien le sujet du cocuage lui avait donné d'occasions de parler et de se moquer des autres, il s'en mit à l'abri en épousant une femme qu'il prit là où chacun en trouve pour son argent, et il passa un contrat avec elle : « Bonjour, putain. – Bonjour, cocu! » Et il n'y avait pas de sujet dont il ne parlait aussi souvent et ouvertement à ses visiteurs que cet arrangement par lequel il refrénait les bavardages secrets des moqueurs et émoussait la pointe de tout reproche.

Quant à l'ambition, qui est voisine de la présomption, ou plutôt sa fille, il aurait fallu pour qu'elle me pousse aux honneurs, que le hasard vienne me chercher par le poing, car je n'aurais pas su me mettre en peine pour une espérance incertaine ni me soumettre à toutes les difficultés que rencontrent, au début de leur ascension, ceux qui cherchent à gagner les faveurs :

Je n'achète pas l'espérance à ce prix[32].

Je m'attache à ce que je vois et que je tiens, et ne m'éloigne guère du port :

Qu'une rame fende les flots
Et que l'autre touche le rivage[33].

Et puis on atteint rarement ces faveurs sans avoir d'abord hasardé son propre bien, et je suis d'avis que, si ce que l'on a suffit pour conserver la condition dans laquelle on est né et à laquelle on est habitué, c'est une folie d'en lâcher la prise pour un gain incertain. Mais celui à qui le sort a refusé de quoi s'établir quelque part afin d'y couler une vie paisible et calme, on peut lui pardonner s'il hasarde ce qu'il a puisque de toute façon la nécessité l'y pousse :

Dans le malheur, il faut tout hasarder[34].

De même j'excuse bien plus un cadet qui risque sa part d'héritage que celui qui a la charge de l'honneur de la famille et qui se retrouve dans le besoin par sa propre faute.

Grâce au conseil de mes bons amis du temps passé, j'ai trouvé le chemin le plus court et le plus facile pour me libérer d'un tel désir et pour me tenir tranquille : « jouissant d'une condition douce sans avoir affronté la poussière de la victoire[35] », je juge sainement que mes forces ne sont pas capables de grandes choses et je me souviens de ce mot de feu le chancelier Olivier[36], que les Français ressemblent à des guenons qui, de branche en branche, grimpent dans les arbres, et qui, une fois arrivées à la plus haute branche, y montrent leur cul :

> Il est honteux de se charger la tête d'un poids
> Qu'on ne peut porter,
> Pour fléchir ensuite les genoux et y renoncer[37].

Même les meilleures qualités que je me reconnais, je les trouvais inutiles en ce siècle. On aurait pris la facilité de mon caractère pour de la lâcheté et de la faiblesse ; ma fidélité, ma conscience, on les aurait trouvées excessivement scrupuleuses et superstitieuses ; ma franchise et ma liberté, importunes, exagérées et téméraires. À quelque chose malheur est bon ! Il fait bon naître dans un siècle très dépravé car, par comparaison avec les autres, vous voilà considéré comme vertueux à bon marché ! De nos jours, celui qui n'est que parricide et sacrilège est un homme de bien et d'honneur...

> *Maintenant, si ton ami ne nie point ton dépôt,*
> *S'il te rend ton vieux sac et ton argent noirci par le temps,*
> *C'est un trait de probité digne d'être inscrit dans les livres*
> *de nos pontifes,*
> *C'est un prodige dont on est tenté de se purifier par des*
> *sacrifices*[38].

Il n'y eut jamais d'époque ni de lieu où les princes ont tiré un profit aussi certain et aussi grand de la bonté et de la justice. Je serais bien étonné si le premier qui aura l'idée de se pousser ainsi du col et de gagner des faveurs par cette voie-là, ne devance facilement ses compagnons. La force et la violence peuvent faire beaucoup, mais pas toujours sur tout. D'ailleurs, nos marchands, nos juges de village, nos artisans le disputent, en vaillance et en science militaire, avec la meilleure noblesse. Ils se comportent de manière honorable dans les combats publics comme dans les querelles privées ; ils se battent en duel et défendent les villes dans nos guerres. Au milieu de cette foule, un prince noie sa renommée. Mais qu'il brille par son humanité, son honnêteté, sa loyauté, sa tempérance et surtout par sa justice, ce sont là autant de marques rares, inconnues et distinguées. Un prince ne peut conduire ses affaires que selon les sentiments de son peuple et nulles autres qualités ne peuvent autant flatter le cœur du peuple que ces qualités-là car de toutes, elles lui sont le plus utiles :

Rien n'est si populaire que la bonté[39].

Par ce rapport, j'aurais pu me trouver grand et exceptionnel, comme je me fais l'effet d'un Pygmée et d'un homme bien ordinaire au regard des siècles passés, pour lesquels il était des plus communs, si d'autres qualités plus grandes ne s'y ajoutaient, de voir un homme modéré dans ses vengeances, peu sensible aux offenses, scrupuleux dans le respect de sa parole, dénué de duplicité, et qui ne renonce pas facilement à ses convictions pour complaire aux désirs des autres et aux circonstances. Je préfère encore me faire tordre le cou par les affaires que de tordre ma foi pour leur service. Car, pour ce qui est de cette nouvelle « vertu », si en vogue de nos jours, qui consiste à feindre et à dissimuler, je la hais absolument et, de tous les vices, je n'en trouve aucun qui témoigne d'autant de lâcheté et de bassesse de cœur. D'aller se déguiser et se cacher sous un masque, et ne pas oser se faire voir tel qu'on est, c'est le fait d'un homme lâche et servile. Par un tel comportement, nos contemporains s'exercent à la perfidie et, accoutumés à parler faux, ils n'ont pas conscience de manquer à la vérité. Un cœur noble ne doit pas cacher ses pensées; il veut se montrer comme il est au plus profond de lui-même : ou tout y est bon, ou du moins tout y est humain. Aristote considère que c'est être magnanime que de haïr et d'aimer à découvert, de juger et de parler avec franchise, et, au regard de la vérité, de ne faire aucun cas de l'approbation ou de la réprobation d'autrui. Apollonios[40] disait que c'était aux serfs de mentir et aux hommes libres de dire la vérité.

C'est la partie fondamentale, première, de la vertu. Il faut l'aimer pour elle-même. Celui qui dit vrai, parce qu'il y est par ailleurs obligé et que cela sert son intérêt, et qui ne craint pas non plus de mentir quand cela importe peu, celui-là n'est pas vraiment honnête. Par tempérament, mon âme fuit le mensonge et en déteste même la pensée : j'éprouve une honte tout intérieure et un remords piquant quand un mensonge m'échappe, comme il arrive parfois quand les circonstances me prennent au dépourvu.

Sans doute ne faut-il pas toujours dire tout ce que l'on pense. Ce serait une sottise. Mais ce que l'on dit, il faut qu'il soit tel qu'on le pense, autrement c'est de la perversité. J'ignore quel avantage on attend de feindre et de se déguiser sans cesse, si ce n'est de n'être pas cru quand on dit alors la vérité. On peut bien tromper les gens une fois ou deux. Mais faire profession de dissimulation et se vanter, comme l'ont fait certains de nos princes, qu'« ils jetteraient leur chemise au feu si elle avait connaissance de leurs vraies intentions » – ce qui est un mot de Metellus de Macédoine[41] –, et que « qui ne sait pas feindre, ne sait pas régner[42] », c'est avertir ceux avec qui on négocie, que l'on ne fait que tricher et mentir :

> Plus un homme est fin et adroit,
> Plus il est odieux et suspect, lorsqu'il vient à perdre
> La réputation d'homme de bien[43].

Ce serait faire preuve d'une grande naïveté que de se laisser tromper par le visage ou les paroles de celui qui se vante d'être toujours différent à l'extérieur de ce qu'il est au-dedans, comme le faisait Tibère[44]. Et je ne vois pas quel crédit de tels gens peuvent avoir dans les relations humaines, puisqu'ils ne disent rien qui puisse être reçu pour argent comptant. Qui est déloyal envers la vérité l'est également envers le mensonge.

Ceux qui, de nos jours, à propos du devoir d'un prince, considèrent qu'il ne repose que sur le soin de ses propres affaires plutôt que sur celui de sa loyauté et de sa conscience, ont raison s'il s'agit d'un prince dont le hasard a si bien arrangé les affaires qu'il pourrait les établir définitivement par une seule faute ou un seul manquement à sa parole. Mais il n'en va pas ainsi. On rechute souvent dans de tels marchés, on fait plus d'une paix, plus d'un traité dans sa vie. Si l'appât du gain incite ce prince à se montrer une fois déloyal (et il s'en présente toujours, comme pour toutes les autres mauvaises actions : les sacrilèges, les meurtres, les rébellions, les trahisons se font toujours dans l'espoir de quelque profit), ce premier gain lui apportera ensuite d'infinis dommages : l'exemple de son infidélité à sa parole le privera de toute relation et de tout moyen de négociation.

Dans mon enfance, Soliman[45], de la race des Ottomans, race pourtant peu soucieuse du respect des promesses et des pactes, fit débarquer son armée à Otrante quand il apprit qu'après avoir livré la place, et cela en violation de l'accord qui avait été conclu avec eux, Mercurin de Gratinare et les habitants de Castro y étaient détenus prisonniers, et il ordonna qu'on les relâchât ; car, bien qu'ayant déjà en main d'autres grandes entreprises en cette contrée, il jugea que cette déloyauté, malgré son apparente utilité, lui apporterait pour l'avenir un discrédit et une défiance qui lui causeraient un préjudice infini.

En ce qui me concerne, j'aime mieux être importun et indiscret plutôt que flatteur et dissimulé. Mais j'avoue qu'il peut se mêler quelque pointe de fierté et d'entêtement à se tenir ainsi entier et à découvert, sans se soucier de ce qu'en pensent les autres. Il me semble que je deviens même un peu plus libre quand il faudrait que je le sois un peu moins, et que j'ai tendance à m'échauffer quand je devrais plutôt témoigner du respect. Il se peut aussi que je me laisse aller selon ma nature, faute de savoir-faire. Ayant avec les grands la même liberté de ton et de comportement que j'ai chez moi, je sens combien cela peut glisser vers l'indiscrétion et l'incivilité. Mais, outre que je suis ainsi fait, je n'ai pas l'esprit assez souple pour esquiver une demande impromptue ni pour m'y soustraire par quelque détour, ni pour déguiser une vérité, ni encore assez de mémoire pour la retenir ainsi déguisée, ni surtout assez d'assurance pour la défendre, et c'est par faiblesse que je fais le brave. C'est pourquoi je m'abandonne à la naïveté de dire toujours ce que je pense, autant par tempérament que par volonté, et je laisse au hasard le soin des événements. Aristippe[46] disait que le principal fruit qu'il avait tiré de la philosophie, c'était de parler librement et ouvertement à chacun.

Quel merveilleux outil que la mémoire! Sans elle, le jugement ne remplit son rôle qu'avec peine. Malheureusement pour moi, je n'en ai aucune! Si on veut m'exposer quelque chose, il faut que ce soit par petits bouts car je suis incapable de répondre convenablement à un propos s'il comporte plusieurs points importants. Je ne saurais même me charger d'une mission sans la noter sur mes tablettes. Et quand j'ai un discours important à faire, s'il doit être de longue haleine, je suis réduit à la vile et misérable nécessité d'apprendre par cœur, mot à mot, ce que j'ai à dire, sinon je n'aurais ni la manière ni l'assurance, craignant continuellement que ma mémoire me joue un mauvais tour. Mais cette solution ne m'est pas moins difficile : pour apprendre trois vers, il me faut trois heures; et puis, pour un texte dont je suis l'auteur, la liberté et la possibilité d'en modifier l'ordre, de changer un mot, de faire sans cesse varier la matière me rend celle-ci plus difficile à garder en mémoire. Or, plus je me méfie d'elle, plus ma mémoire se trouble; elle me sert mieux à l'improviste. Il faut que je la sollicite sans la forcer car, si je la presse, elle se brouille et, quand elle commence à chanceler, plus je la sonde, plus elle s'empêtre et s'embarrasse : elle me sert à son heure, non à la mienne.

Ce que je ressens avec la mémoire, je l'éprouve aussi dans d'autres domaines. Je fuis l'autorité, l'obligation et la contrainte. Ce que je fais aisément et naturellement, si je me l'impose expressément et à l'avance, je ne sais plus le faire. Pour ce qui est de mon corps lui-même, les membres qui ont sur eux-mêmes quelque liberté et une autorité particulière, refusent parfois de m'obéir quand j'en attends le service nécessaire à un certain point et à une certaine heure... Ce rendez-vous tyrannique et contraint les rebute : d'effroi ou de dépit, ils se paralysent et se glacent.

Autrefois, étant en un lieu où l'on passe pour un barbare quand on a la discourtoisie de refuser de boire avec ceux qui vous invitent, et bien que j'y fusse reçu avec la plus grande liberté, je me mis en tête de faire le bon compagnon devant les dames qui étaient de la partie, comme c'est l'usage en ce pays. Mais j'eus bien du plaisir ! Me préparer ainsi à contrarier mes habitudes et mon naturel me boucha si bien le gosier que je ne pus avaler une seule goutte, et il ne me fut pas même possible de boire avec mon repas. Je me trouvais saoulé et désaltéré par tout ce que j'avais bu à l'avance en imagination !

Cet effet se remarque surtout chez ceux qui ont l'imagination la plus vive et la plus forte ; cependant il est naturel : il n'est personne qui ne le ressente quelque peu. On avait proposé à un excellent archer, condamné à mort, de lui laisser la vie sauve s'il montrait quelque preuve remarquable de son talent. Il refusa d'essayer, craignant que la trop grande tension de sa volonté lui fît trembler la main et qu'au lieu de sauver sa vie, il perdît en plus la réputation qu'il avait acquise au tir à l'arc! Un homme qui pense à autre chose ne manquera pas, à un pouce près, de refaire toujours le même nombre et la même longueur de pas à l'endroit où il se promène; mais, s'il se met en tête de mesurer et de compter ses pas, il s'apercevra que ce qu'il fait naturellement et par hasard, il ne le fait pas aussi bien intentionnellement.

Ma bibliothèque, qui est une des plus belles qu'on puisse trouver dans un village, est située dans un angle reculé de ma maison. S'il me vient à l'esprit quelque chose que je veuille aller y chercher ou écrire, il faut que je la confie à quelqu'un d'autre, de peur que cette idée ne m'échappe en traversant seulement ma cour. Si, quand je parle, je m'écarte un tant soit peu du fil de ma pensée, je ne manque jamais de le perdre : c'est pourquoi je m'efforce dans mes propos de rester strict et au plus près. Les gens qui sont à mon service, il m'est si difficile de retenir leurs noms qu'il faut que je les appelle par celui de leur charge ou de leur pays. Mais je pourrais pourtant dire que ce nom a trois syllabes, que le son en est rude, qu'il commence ou se termine par telle lettre! Si je devais vivre longtemps, je crois bien que je finirais par oublier mon propre nom, comme cela est arrivé à d'autres : Messalla Corvinus[47] vécut ainsi deux ans sans avoir la moindre trace de mémoire et c'est ce que l'on dit aussi de Georges de Trapézonce[48]. En ce qui me concerne, je médite souvent sur le genre de vie qui devait être la leur, et je me demande si, sans cette faculté, je pourrais encore me conduire avec aisance; et, à y regarder de près, j'ai bien peur que cette privation, si elle était complète, ne fasse disparaître également toutes les fonctions de l'esprit :

> *La mémoire renferme certainement non seulement*
> *La philosophie, mais encore tous les arts,*
> *Et tout ce qui appartient à l'usage de la vie*[49] ;

> *Je suis plein de trous, je fuis par tous les côtés*[50].

Il m'est arrivé plus d'une fois d'oublier le mot de passe que j'avais donné ou reçu d'un autre trois heures auparavant, et d'oublier où j'avais caché ma bourse, quoi qu'en dise Cicéron[51] : je perds facilement ce que je prends grand soin à ranger. La mémoire est le réceptacle et l'étui de la science, et la mienne est si défaillante que je n'ai pas trop à me plaindre si je ne sais pas grand-chose. Je connais en général le nom des disciplines et ce dont elles traitent, mais rien au-delà. Je feuillette les livres, je ne les étudie pas : ce qui m'en reste, c'est ce que je ne reconnais plus comme étant d'un autre, c'est seulement ce dont mon jugement a fait son profit, les raisonnements et les idées dont il s'est imbibé ; l'auteur, le lieu, les mots et les autres détails, je les oublie aussitôt. Et j'oublie si bien les choses que même mes écrits et mes ouvrages, je les oublie autant que le reste. On peut me citer mes propres « Essais », je ne m'en aperçois même pas ! Celui qui voudrait savoir d'où viennent les vers et les exemples que j'ai entassés dans cet ouvrage, je serais bien en peine de le lui dire, et pourtant je ne les ai mendiés qu'aux portes les plus connues et les plus célèbres, ne me contentant pas qu'ils soient par eux-mêmes de grande valeur, s'ils ne sont aussi l'œuvre de mains réputées et estimables : l'autorité le dispute à la raison. Ce n'est donc pas très étonnant si mon livre connaît le même sort que les autres et si ma mémoire retient aussi peu ce que j'écris que ce que je lis, et ce que je donne comme ce que je reçois.

Outre celui de la mémoire, j'ai d'autres défauts qui contribuent beaucoup à mon ignorance : j'ai l'esprit lent et émoussé, le moindre nuage l'arrête, si bien que, par exemple, je n'ai jamais pu lui proposer une énigme, si aisée fût-elle, qu'il ait réussi à élucider. Il n'y a pas de si infime subtilité qui ne me plonge dans l'embarras. Dans les jeux, où l'esprit a sa part, comme les échecs, les cartes, les dames et d'autres encore, je ne comprends que les principes les plus grossiers. Mais si j'ai l'intelligence lente et embrouillée, une fois qu'elle tient quelque chose, elle le tient bien et le saisit pleinement, étroitement et profondément, aussi longtemps qu'elle le tient. J'ai aussi une excellente vue, saine et entière, mais elle se fatigue vite au travail et se trouble, ce qui fait que je ne puis m'entretenir longtemps avec les livres qu'à la condition qu'un autre me les lise. Pline le Jeune apprendra à ceux qui n'en ont pas fait l'expérience combien ce détour est gênant pour ceux qui s'adonnent comme moi à la lecture.

Toutefois, il n'est pas d'esprit si chétif et si grossier en lequel on ne voie reluire quelque faculté particulière, ni qui soit si recouvert d'ignorance qu'il ne se découvre par quelque bout. Quant à savoir comment il se fait qu'un esprit, aveugle et endormi pour toutes autres choses, se montre vif, clair et excellent pour telle action particulière, c'est auprès des maîtres qu'il faut s'en enquérir. Mais les bons esprits, ce sont les esprits universels, ouverts et prêts à tout, sinon instruits, du moins susceptibles de l'être. Je dis cela pour accuser le mien car, soit par faiblesse, soit par négligence (et mettre de côté, par négligence, ce qui est devant nous, ce que nous avons même entre les mains, ou ce qui concerne au plus près l'usage de la vie, c'est là pourtant quelque chose de bien éloigné de ma façon de voir), il n'en est pas d'aussi inapte et d'aussi ignorant que le mien pour bien des choses courantes et que l'on ne peut sans honte ignorer. Il faut que j'en donne quelques exemples.

Je suis né et j'ai été élevé à la campagne, au milieu des laboureurs. Depuis qu'ils m'ont laissé leur place, ceux qui m'ont précédé dans la possession des biens dont j'ai aujourd'hui la jouissance, c'est à moi de conduire les affaires et d'administrer la maison. Or, je ne sais compter ni avec des jetons ni avec ma plume. J'ignore la plupart de nos monnaies, et si elle n'est pas trop apparente, je ne fais pas non plus la différence entre un grain et un autre, qu'ils soient en terre ou au grenier, et je m'y retrouve à peine entre les choux et les laitues de mon jardin. Je ne comprends même pas les noms des principaux outils de la maison, ni les notions les plus ordinaires de l'agriculture, celles pourtant que même les enfants savent. Je m'y connais encore moins en matière d'artisanat, de commerce, de marchandises, de la diversité et de la nature des fruits, des vins, des aliments, ou quand il s'agit de dresser un oiseau, de soigner un cheval ou un chien. Et, puisqu'il me faut confesser toute ma honte, il y a un mois à peine, on m'a surpris tout ignorant que le levain servait à faire du pain et ce que c'était que de faire cuver du vin. Jadis, à Athènes, on prêtait un don pour les mathématiques à celui qu'on voyait agencer et fagoter avec habileté un tas de broussailles. On tirerait vraiment de moi une conclusion bien contraire. Qu'on mette à ma disposition tout ce qui est nécessaire pour cuisiner, et me voilà à mourir de faim !

Grâce à ces quelques traits de ma confession, je me doute qu'on peut en imaginer bien d'autres à mes dépens. Mais peu importe comme je me montre du moment que je me montre tel que je suis, car c'est là mon intention. C'est pourquoi je ne m'excuse pas d'oser mettre par écrit des choses si vulgaires et si frivoles que celles-ci, car j'y suis contraint par la bassesse du sujet. Qu'on accuse mon projet, si on veut, mais le procédé, non. De toute façon, sans même qu'on me le dise, je vois bien le peu de valeur de tout ceci, et la folie de mon projet. Et c'est déjà beaucoup que mon jugement – dont ce sont ici les « essais » – ne perde en chemin ses fers :

> *Quelque nez que tu aies,*
> *Même un nez tel qu'Atlas n'aurait osé en porter,*
> *Et fusses-tu capable de confondre par tes plaisanteries*
> *Latinus lui-même,*
> *Tu ne saurais jamais dire pis de ces bagatelles que ce que*
> *j'en ai dit moi-même.*

Pourquoi te tourmenter pour y trouver de quoi mordre ?
Attaque quelque chose de plus solide.
Si tu ne veux pas perdre ta peine, répands ton venin sur
ceux qui s'admirent eux-mêmes ;
Car, pour moi, je sais que tout ceci n'est rien[52].

Je ne suis pas obligé de ne pas dire de sottises, pourvu que je ne me trompe pas moi-même et les reconnaisse comme telles. Et faire une faute en le sachant, cela m'est si ordinaire que cela ne m'arrive jamais d'en faire autrement : je ne me trompe jamais fortuitement. C'est peu de chose de prêter à l'inconséquence de mon caractère les actions les plus ridicules, puisque je ne peux m'empêcher d'ordinaire de lui imputer les plus vicieuses.

J'étais un jour à Bar-le-Duc quand on présenta au roi François II, en l'honneur de la mémoire de René, roi de Sicile[53], un portrait que celui-ci avait lui-même dessiné. Pourquoi ne serait-il pas de même permis à chacun de se dépeindre avec sa plume, comme lui se peignait avec un crayon ? Je ne veux donc pas oublier aussi cette cicatrice, si peu convenable à produire en public : c'est l'irrésolution, défaut très gênant dans la conduite des affaires du monde. Je ne sais pas prendre parti dans les entreprises dont l'issue est incertaine :

Le cœur ne me dit ni oui, ni non[54].

Je sais bien soutenir une opinion, non la choisir. De quelque côté que l'on penche, il se présente toujours dans les choses humaines de nombreuses apparences qui nous confortent dans nos vues. C'est pourquoi le philosophe Chrysippe disait qu'il ne voulait apprendre de Zénon et de Cléanthe, ses maîtres, que les principes uniquement car, pour les preuves et les arguments, il pensait qu'il en fournirait assez par lui-même. De quelque côté que je me tourne, donc, je me fournis à moi-même toujours assez de motifs et de vraisemblance pour m'y maintenir. Ainsi je maintiens chez moi le doute et la liberté de choisir, jusqu'à ce que les circonstances me pressent de me décider. Et pour dire la vérité, je jette le plus souvent la « plume au vent » comme on dit, et m'abandonne à la merci du hasard. Un bien léger penchant et quelque circonstance insignifiante suffisent alors à m'emporter :

> *Lorsque l'esprit est dans le doute,*
> *Le moindre poids le fait pencher d'un côté*
> *Ou de l'autre*[55].

Dans la plupart des cas, l'incertitude de mon jugement est dans un tel équilibre que je pourrais volontiers m'en remettre à la décision du tirage au

sort ou des dés. D'ailleurs, si j'observe avec attention notre faiblesse humaine, je remarque que l'histoire sainte elle-même nous a laissés de nombreux
exemples de cet usage de s'en remettre au sort et
au hasard dans la détermination des choix dans les
choses incertaines :

Le sort tomba sur Mathias[56].

La raison humaine est un glaive dangereux à
double tranchant. Dans la main même de Socrate,
son ami le plus intime et le plus familier, c'est un
bâton qui a plus d'un bout. Je ne suis donc bon qu'à
suivre les autres et je me laisse aisément emporter
par la foule. Je ne me fie pas assez à mes forces
pour entreprendre de commander, ou de guider. Je
suis bien aise de suivre les pas tracés par les autres.
S'il faut courir le risque d'un choix incertain, j'aime
mieux que ce soit sous l'autorité d'un autre qui a plus
d'assurance dans ses opinions et s'y tient mieux que
je ne fais des miennes, car je trouve qu'elles reposent
sur un sol glissant. Et pourtant je n'ai pas l'habitude
d'en changer facilement, surtout quand j'aperçois la
même faiblesse dans les opinions contraires.

*L'habitude d'épouser les opinions des autres paraît
entraîner bien des erreurs et des dangers*[57].

Dans les affaires publiques en particulier, il y a un beau champ ouvert à l'hésitation et à la contestation :

> *Ainsi, lorsque les plateaux de la balance sont*
> *Également chargés,*
> *Elle ne penche, elle ne s'élève d'aucun côté*[58].

Les idées de Machiavel, par exemple, étaient assez solides pour le sujet, et pourtant il était très facile de les combattre. Et ceux[59] qui l'ont fait, n'ont pas offert moins de facilité à combattre les leurs. On pourrait toujours trouver, sur ce sujet, de quoi fournir à tout argument des réponses, des dupliques, des répliques, des tripliques, des quadrupliques, et cette chaîne infinie de débats que notre goût de la procédure a allongée autant qu'elle a pu en faveur des procès : « L'ennemi nous bat, et nous le battons à notre tour[60]. » Les raisons que j'invoque ici n'ont pas d'autre fondement que l'expérience, et la diversité des événements humains nous présente un nombre infini d'exemples sous toutes sortes de formes. Un de nos contemporains, très savant, dit que dans nos almanachs, quand on dit qu'il fera chaud, on pourrait aussi bien dire « froid », et au lieu de sec, « humide », et mettre toujours le contraire de ce qui est pronostiqué. Et s'il devait parier sur ce qui arrivera, il ne se soucierait pas de prendre parti, sauf dans les choses où il ne peut y avoir la moindre incertitude, comme prévoir à Noël des chaleurs extrêmes, et à la saint Jean des rigueurs hivernales. J'en pense de même des argumentations politiques : quel que soit le rôle qu'on vous prête – celui du partisan ou celui de l'opposant –, vous avez aussi beau jeu que votre adversaire, pourvu que vous n'en veniez à choquer des principes trop élémentaires et trop évidents. C'est pourquoi, selon mon point de vue, dans les affaires publiques, il n'y a pas de façon d'agir, si mauvaise soit-elle, qui, pourvu qu'elle soit ancienne et constante, ne vaille mieux que le changement et le bouleversement. Nos mœurs sont extrêmement corrompues, et ont une irrésistible tendance à empirer. Parmi nos lois et nos coutumes, il y en a beaucoup de barbares et mons-trueuses. Toutefois, à cause de la difficulté qu'il y aurait à améliorer notre situation et le danger que nous ferait courir cet ébranlement, si je pouvais frei-ner notre roue et l'arrêter en ce point, je le ferais de bon cœur :

Citez l'action la plus honteuse, la plus infâme,
Il en est encore de plus criminelle[61].

Ce qu'il y a de pire dans notre situation présente, c'est l'instabilité et le fait que nos lois, pas plus que nos vêtements, ne peuvent prendre une forme définitive. C'est très facile d'accuser d'imperfection un système politique, puisque toute chose mortelle en est pleine. C'est très facile de faire naître chez un peuple le mépris de ses anciennes coutumes. Jamais un homme n'entreprit cela sans y parvenir. Mais établir un ordre meilleur à la place de celui que l'on a ruiné, beaucoup de ceux qui l'avaient entrepris en sont amèrement revenus.

Je fais peu de place à ma prudence dans ma conduite, je me laisse volontiers mener par l'ordre général du monde. Heureux le peuple qui fait ce qu'on commande mieux que ceux qui commandent, sans se soucier des causes et qui se laisse tranquillement entraîner par le mouvement céleste! L'obéissance n'est ni pure ni tranquille chez celui qui raisonne et qui conteste.

Bref, pour en revenir à moi, le seul point par lequel j'estime être quelque chose, c'est celui par lequel jamais homme ne s'est estimé imparfait : mon mérite est banal, commun et populaire, car qui a jamais pensé qu'il manquait de bon sens? Ce serait une proposition qui impliquerait en soi une contradiction : c'est une maladie qui n'est jamais là où on la voit. Elle est certes tenace et forte, et pourtant le premier regard que porte sur elle le patient la perce et la dissipe, comme le rayon du soleil le fait d'un brouillard opaque. Sur ce sujet-là, s'accuser serait s'excuser, et se condamner, ce serait s'absoudre. On n'a jamais vu le moindre manœuvre ni une bonne femme estimer ne pas avoir suffisamment de bon sens pour répondre à ses besoins. Nous ne faisons aucune difficulté pour reconnaître aux autres leur avantage sur nous en matière de courage, de force physique, d'expérience, d'agilité, de beauté; mais pour ce qui est d'avoir plus de jugement que nous, nous ne le reconnaissons à personne, et les arguments qui, chez les autres, viennent du bon sens le plus naturel, il nous semble qu'il nous aurait suffi de les chercher de ce côté-là pour que nous les trouvions aussi. L'érudition, le style et les autres qualités que nous voyons dans les ouvrages des autres, si elles surpassent les nôtres, nous le reconnaissons très facilement, mais pour ce qui est des productions les plus simples de l'intelligence, chacun pense qu'il était également capable d'en élaborer de semblables et a du mal à en saisir la mesure et la difficulté, sauf – et encore – quand elles sont à une extrême et incomparable distance. Ainsi, ces « essais » sont une sorte d'exercice dont je dois attendre fort peu de gloire et de louange, et un genre d'ouvrage qui ne peut guère m'apporter de renom.

Et puis, pour qui écrit-on? Les savants à qui il
appartient de juger de la valeur des livres n'en
reconnaissent qu'au savoir et n'admettent d'autres
manières de procéder que celles de l'érudition et de
la méthode : si vous avez pris l'un des Scipions pour
l'autre, que vous reste-t-il à dire qui vaille? Selon
eux, qui ignore Aristote s'ignore en même temps lui-
même. Les esprits communs et vulgaires ne voient
pas la beauté et la valeur d'un style fin et élevé. Or,
ce sont ces deux sortes d'hommes qui en gros consti-
tuent le monde. La troisième, à laquelle il vous est
donné comme moi d'appartenir, celle des esprits
bien réglés qui pensent par eux-mêmes, est si rare
qu'elle n'a justement ni renom, ni rang parmi nous :
vouloir et s'efforcer de lui plaire, c'est du temps à
moitié perdu.

On dit souvent que le plus juste partage que la
nature nous ait fait de ses faveurs, c'est celui du bon
sens, car il n'est personne qui ne se contente de
ce qu'elle lui a attribué. N'est-ce pas raisonnable?
Qui viserait au-delà, viserait au-delà de sa vue. Je
pense avoir des idées bonnes et saines – mais qui
n'en croit autant des siennes? L'une des meilleures
preuves que j'en aie, c'est le peu d'estime que j'ai
de moi, car si mes idées n'étaient si fermes, elles
se seraient facilement laissé abuser par l'affection
singulière que je me porte, puisque je la rapporte

presque entièrement à moi-même et ne l'étends guère au-delà. Tout ce que les autres en distribuent à une multitude infinie d'amis et de connaissances, à leur réputation et à leur grandeur, moi je le consacre tout entier au repos de mon esprit et à moi-même. Ce qui m'en échappe, c'est malgré moi :

Vivre, me bien porter, voilà ma science[62].

Or je trouve mes opinions infiniment hardies et constantes pour condamner mes défauts. À la vérité, c'est là un sujet sur lequel j'exerce mon jugement plus que sur aucun autre. Les hommes regardent toujours ce qu'ils trouvent devant eux ; moi, je replie ma vue au-dedans, je la fixe, je l'occupe là. Chacun regarde devant soi ; moi, je regarde en moi : je n'ai affaire qu'à moi, je m'examine sans cesse, je m'observe, je me tâte. Les autres vont toujours ailleurs, s'ils y pensent seulement ; ils vont toujours plus loin :

Personne ne cherche à descendre en soi-même[63],

moi, je me tiens en moi-même.

Quelle que soit ma capacité de trier le vrai et le faux, cette tendance libre de ne pas assujettir facilement ma croyance, c'est à moi surtout que je la dois :

car mes idées les plus fermes et les plus générales sont celles qui, pour ainsi dire, sont nées avec moi. Elles me sont naturelles et entièrement miennes. Je les ai produites crues et simples, de façon hardie et forte, mais un peu confuse et imparfaite. Mais depuis, je les ai établies et fortifiées par l'autorité des autres et par les saines conceptions des Anciens, avec lesquels je me suis trouvé en conformité de jugement. Ce sont eux qui m'en ont assuré la prise, et m'en ont donné une jouissance et une possession plus complètes.

La réputation de vivacité et de rapidité d'esprit que chacun recherche, je prétends la tirer de la conduite bien réglée de mon esprit; et la réputation que chacun cherche à tirer d'une action éclatante et remarquée ou de quelque compétence particulière, c'est de l'ordre, de l'harmonie et de la sérénité de mes opinions et de ma conduite que je l'attends :

> S'il y a quelque chose de bienséant et d'honorable, c'est, sans contredit, une conduite uniforme et conséquente dans toutes les actions de la vie – ce qui ne peut se trouver dans un homme qui, se dépouillant de son caractère, s'attache à imiter les autres[64].

Voilà donc jusqu'où je me sens coupable de ce que je disais être la première partie du vice de la présomption. Pour la seconde, celle qui consiste à ne pas estimer assez les autres, je ne sais si je puis aussi bien m'en excuser. Mais, quoi qu'il m'en coûte, je décide de dire ce qui en est.

Peut-être est-ce la fréquentation continue que j'entretiens avec les sentiments des Anciens et l'idée que je me fais de ces riches âmes du temps passé qui me dégoûtent et d'autrui et de moi-même. Ou bien peut-être vivons-nous, à la vérité, dans un siècle qui ne produit que des choses bien médiocres. Toujours est-il que je n'y remarque rien qui soit digne d'une grande admiration. Il est vrai toutefois que je ne connais pas beaucoup d'hommes avec toute la familiarité qu'il faudrait pour pouvoir bien en juger, et ceux avec lesquels ma condition me met ordinairement le plus en relation sont, pour la plupart, des gens qui se préoccupent fort peu de se cultiver l'âme et auxquels on ne propose pour toute béatitude que l'honneur et pour toute perfection que la vaillance.

Ce que je vois de beau chez les autres, je le loue et l'apprécie très volontiers. Je renchéris même souvent sur ce que j'en pense, et je me permets de mentir à l'occasion sur ce point car je ne sais pas inventer quelque chose de faux. Je témoigne volontiers de ce que je trouve de louable chez mes amis et suis même naturellement porter à en exagérer la valeur : d'un pied, je fais volontiers un pied et demi. Mais de là à leur prêter des qualités qu'ils n'ont pas ou à défendre ouvertement les imperfections qui sont les leurs, je n'y arrive pas.

Même à mes ennemis, je rends franchement témoignage d'honneur. Mes sentiments peuvent changer, mon jugement, non, et je ne confonds jamais ma querelle avec ce qui lui est étranger. Je suis tellement jaloux de ma liberté de jugement que je peux difficilement y renoncer pour quelque passion que ce soit. Je me fais plus de tort en mentant que je n'en fais à celui à propos de qui je mens. Les Perses ont cette coutume louable et généreuse de parler de leurs ennemis mortels, ceux à qui ils font la guerre à outrance, de façon aussi honorable et équitable que le mérite leur courage.

Je connais bien des hommes doués de nombreuses qualités : qui de l'esprit, qui du cœur, qui de l'adresse, qui de la conscience, qui un beau langage, qui une science, qui une autre... Mais de grand homme en général, ayant autant de qualités réunies, ou en possédant une à un tel degré d'excellence qu'on ne peut s'empêcher de l'admirer ou de le comparer à ceux que nous honorons dans les siècles passés, je n'ai jamais eu la chance d'en rencontrer. Le plus grand que j'aie connu de son vivant, pour les qualités naturelles de son âme et qui fût le mieux né, c'est Étienne de La Boétie. C'était vraiment une âme pleine, et qui présentait un bel aspect à tout point de vue; une âme à l'antique, et qui eût produit de grandes choses si seulement le sort l'avait voulu[65], car à ses qualités naturelles il avait encore beaucoup ajouté par le savoir et l'étude. Mais je ne sais comment il arrive, et cela arrive à l'évidence, qu'il se trouve autant de vanité et de faiblesse d'esprit chez ceux qui font profession d'avoir le plus de science et exercent des métiers littéraires et des charges qui dépendent des livres, que chez aucune autre sorte de gens. Est-ce parce qu'on leur en demande plus qu'on attend d'eux davantage que des autres et qu'on ne peut excuser chez eux les fautes les plus ordinaires, ou est-ce que c'est l'opinion qu'ils se font de leur savoir qui leur donne plus de hardiesse pour se mettre en avant et se découvrir comme ils sont, ce qui fait qu'ils se perdent et se trahissent? Car, de même qu'un artisan montre bien mieux son manque d'habileté dans une matière précieuse qu'il a entre les mains que sur une autre de vil prix, s'il la traite et l'arrange sottement au mépris des règles de l'art, et qu'on s'offusque davantage du défaut que l'on remarque sur une statue en or que sur celle qui est en plâtre, ces gens-là en font autant lorsqu'ils font étalage de choses qui, par elles-mêmes et à leur place, seraient bonnes, car ils s'en servent sans discernement, faisant honneur à leur mémoire aux dépens de leur intelligence : ils font honneur à Cicéron, à Galien[66], à Ulpien[67] et à saint Jérôme[68], et se rendent eux-mêmes ridicules.

Je reviens volontiers à ce que j'ai dit de la sottise de notre éducation[69] : elle a eu pour but, non pas de nous rendre bons et sages, mais savants ; elle y est parvenue. Elle ne nous a pas appris à rechercher et à embrasser la vertu et la sagesse, mais elle nous a appris l'étymologie et la dérivation de ces mots. Nous savons décliner « vertu », même si nous ne savons pas l'aimer ; si nous ne savons pas ce qu'est la sagesse, en réalité et par expérience, au moins le savons-nous par jargon et « par cœur ». De nos voisins, nous ne voulons pas nous contenter de connaître la lignée, les parentèles et les alliances, nous voulons aussi les avoir pour amis et établir avec eux quelque conversation et quelque entente. Notre éducation nous a appris les définitions, les divisions et les éléments de la vertu, comme les noms qu'on donne aux branches d'un arbre généalogique, sans se préoccuper d'établir entre elle et nous la moindre habitude de familiarité et d'intimité. Elle a choisi pour notre instruction non les livres qui ont les opinions les plus saines et les plus vraies, mais seulement ceux qui parlent le meilleur grec et latin, et avec tous ces beaux mots, elle a nourri notre imagination des opinions les plus creuses de l'Antiquité. Une bonne éducation doit en revanche modifier le jugement et les conduites, comme cela est arrivé à Polémon, ce jeune Grec débauché qui, venu écouter par hasard une leçon de Xénocrate, ne fut pas seulement marqué par l'éloquence et la compétence du professeur et n'en rapporta pas seulement chez lui la connaissance de quelque belle matière, mais un profit plus important et plus solide : le changement soudain et l'amendement de la vie qu'il menait alors. Qui a jamais connu un tel effet de l'éducation ?

> *Ferais-tu ce que fit autrefois Polémon converti ?*
> *Renoncerais-tu à toutes les marques de ta folie,*
> *Comme ce jeune débauché qui,*
> *s'étant trouvé par hasard aux leçons de l'austère Xénocrate,*
> *Rougit de son état,*
> *Et jeta à la dérobée ses couronnes et ses fleurs*[70].

De toutes les conditions sociales, la moins à dédaigner me semble être celle qui, en raison de sa simplicité, tient le dernier rang et nous offre le spectacle de relations humaines mieux réglées que les autres. Je trouve les mœurs et les propos des paysans généralement plus en accord avec la vraie philosophie que ne le sont ceux de nos philosophes eux-mêmes.

Le vulgaire est plus sage, parce qu'il n'est sage qu'autant qu'il le faut[71].

Pour autant que j'aie pu en juger d'après leur apparence extérieure (car, pour les juger à ma façon, il m'eût fallu les examiner de plus près), les hommes les plus remarquables dans le domaine de la guerre et de l'art militaire ont été le duc de Guise[72], qui mourut à Orléans, et feu le maréchal Strozzi. Pour leurs compétences et leur valeur peu communes, Olivier et L'Hospital[73], tous deux chanceliers de France. Il me semble aussi que la poésie a eu une certaine vogue en notre siècle car nous avons nombre de bons artisans dans ce domaine-là : Daurat[74], Bèze[75], Buchanan[76], L'Hospital, Montdoré[77], Turnèbe[78]. Quant à ceux qui écrivent en français, je pense qu'ils ont élevé la poésie au plus haut qu'elle ne sera jamais. Et, là où Ronsart et du Bellay excellent, je ne les trouve guère éloignés de la perfection antique. Adrien Turnèbe savait plus et savait mieux ce qu'il savait que n'importe qui de son temps et même au-delà.

Les vies du duc d'Albe[79], mort récemment, et de notre connétable de Montmorency[80], ont été des vies nobles et dont les destins offrent des ressemblances étonnantes. Mais la beauté de la mort glorieuse de ce dernier, sous les yeux des Parisiens et de son roi, à leur service et contre ses plus proches parents, à la tête d'une armée victorieuse sous son commandement, et à la suite d'un « coup de main », sa mort, dis-je, dans son extrême vieillesse, me semble mériter qu'on la place parmi les événements les plus remarquables de mon temps. Il en est de même de la constante bonté, du comportement courtois et de l'amabilité scrupuleuse dont fit preuve Monsieur de la Nouë au milieu des factions armées, dénuées de la moindre justice (véritable école de trahison, d'inhumanité et de brigandage), où, en grand homme de guerre, très expérimenté, il a toujours vécu.

J'ai pris plaisir à faire connaître en plusieurs endroits les espoirs que me donne Marie de Gournay Le Jars, ma « fille d'alliance », que j'aime assurément plus que paternellement, et entoure de ma plus grande affection dans ma retraite et ma solitude comme l'une des meilleures parties de moi-même. Je n'ai plus d'yeux que pour elle au monde. Si l'adolescence peut donner un présage, cette âme sera capable un jour des plus belles choses et, entre autres, de la perfection de cette très sainte amitié où nous n'avons pas encore lu que son sexe ait jamais pu s'élever : la sincérité et la fermeté de sa conduite s'y montrent déjà suffisantes, son affection envers moi plus que surabondante, et telle, en somme, qu'il n'y a plus rien à souhaiter pour elle sinon qu'elle

soit moins cruellement tourmentée par l'appréhen-
sion qu'elle éprouve à l'approche de ma fin, m'ayant
rencontré quand j'avais déjà cinquante-cinq ans. Le
jugement qu'elle a porté sur les premiers *Essais*,
qu'elle soit une femme, et en ce siècle, si jeune, seule
dans toute sa région, et qu'elle m'aimât et désirât
longtemps me rencontrer avec tant d'enthousiasme,
d'après la seule estime qu'elle avait éprouvé à mon
sujet en me lisant, avant même de m'avoir vu, voilà,
à tout le moins, un fait digne de considération[81].

Les autres vertus n'ont que peu, ou pas du tout,
été de mise à notre époque. Mais la vaillance, elle,
est devenue ordinaire par ces temps de guerres
civiles, et dans ce domaine, on trouve parmi nous
des caractères fermes jusqu'à la perfection, en si
grand nombre que le tri en est impossible à faire.
Voilà tout ce que j'ai connu, jusqu'à présent, en fait
de grandeur extraordinaire et hors du commun.

Notes

1. *Cf. Essais*, « Sur la vanité », III, 9.
2. *Cf.* p. 66
3. *Cf.* p. 14
4. Allusion à l'essai qui précède, intitulé « De la gloire » (II, 16).
5. « Ille velut fidis arcana sodalibus olim/Credebat libris, neque, si male cesserat, usquam/Decurrens alio, neque si bene : quo fit ut omnis/Votiva pateat veluti descripta tabella/Vita senis. » (Horace, *Satires*, II, I, 30-34.)
6. « Nec id Rutilio et Scauro citra fidem aut obtrectationi fuit. » (Tacite, *Vie d'Agricole*, I.)
7. Constance II (317-361), empereur romain chrétien du Bas-Empire, fils de l'empereur romain Constantin.
8. « Mediocribus esse poetis/Non dii, non homines, non concessere columnae. » (Horace, *Art poétique*, 372-373.)
9. « Verum/Nil securius est malo poeta. » (Martial, *Épigrammes*, XII, LXIII, 13.)
10. Denys l'Ancien (431-367 av. J.-C), tyran de Syracuse, cité grecque de la Grande Sicile.
11. Il s'agit en fait de *La Rançon d'Hector* que Denys l'Ancien fit jouer en -367 lors des Lénéennes, fêtes célébrées à Athènes et en Ionie en l'honneur de Dyonisos.

12. « Cum relego, scripsisse pudet ; quia plurima cerno, /Me quoque, qui feci judice, digna lini. » (Ovide, *Pontiques*, I, V, 15-16.)

13. « Si quid enim placet, /Si quid dulce hominum sensibus influit, /Debentur lepidis omnia Gratiis. » (Pindare, *Olympiques*, XIV.)

14. Ces philosophes romains, partisans de la doctrine d'Épicure, avaient la réputation de disserter sans méthode.

15. « Brevis esse laboro, obscurus fio. » (Horace, *Art poétique*, V, 25.)

16. Il s'agit de celle d'Aristote.

17. « Agros divisere atque dedere/Pro facie cujusque et viribus ingenioque/Nam facies multum valuit, viresque vigebant. » (Lucrèce, *De la nature*, V, 1109.)

18. Caius Marius (157-86 av. J.-C.) était un consul romain connu pour avoir réformé l'armée romaine en l'ouvrant notamment aux volontaires issus des classes inférieures de la société romaine.

19. Le pied (« du roi ») valait 32,5 cm.

20. *Cf. Le Livre du Courtisan* de Baldassare Castiglione, manuel de savoir-vivre à l'usage des gentilshommes, publié en 1528.

21. « Ipse inter primos praestanti corpore Turnus/Vertitur, arma tenens, et toto vertice supra est. » (Virgile, *Énéides*, VII, 783.)

22. « Speciosus forma prae filiis hominum. » (*Psaumes*, XLV, 3.)

23. Philopœmen (253-183 av. J.-C.), homme politique et général grec.

24. « Unde rigent setis mihi crura, et pectora villis. » (Martial, *Épigrammes*, II, XXXVI, 5.)

25. « Minutatim vires et robur adultum frangit, et in partem pejorem liquitur aetas. » (Lucrèce, *De la nature*, II, 1131.)

26. « Singula de nobis anni praedantur euntes. » (Horace, *Épîtres*, II, II, 55.)

27. « Molliter austerum studio fallente laborem. » (Horace, *Satires*, II, II, 12.)

28. « Tanti mihi non sit opaci omnis arena Tagi, quodque in mare volvitur aurum. » (Juvénal, *Satire*, III, 54.)

29. « Non agimur tumidis velis Aquilone secundo,/Non tamen adversis aetatem ducimus Austris ;/Viribus, ingenio, specie, virtute, loco, re,/Extremi primorum, extremis usque priores. » (Horace, *Épîtres*, II, II, 201.)

30. « Hæc nempe supersunt,/Quæ dominum fallant, quæ prosint furibus. » (Horace, *Épîtres*, I, VI, 45.)

31. « Dubia plus torquent mala. » (Sénèque, *Agamemnon*, III, 1, 29.)

32. « Spem pretio non emo. » (Térence, *Adelphe*, II, III, 11.)

33. « Alter remus aquas, alter tibi radat arenas. » (Properce, *Élégies*, III, III, 23.)

34. « Capienda rebus in malis præceps via est. » (Sénèque, *Agamemnon*, II, I, 47.)

35. « Cui sit conditio dulcis, sine pulvere palmæ. » (Horace, *Épîtres*, I, I, 51.)

36. François Olivier (1487-1560), chancelier de France sous François 1er.

37. « Turpe est, quod nequeas, capiti committere pondus,/Et pressum inflexo mox dare terga genu. » (Properce, *Élégies*, III, IX, 5.)

38. « Nunc, si depositum non inficiatur amicus,/Si reddat veterem cum tota ærugine follem ;/Prodigiosa fides et thuscis digna libellis,/Quaeque coronata lustrari debeat agna. » (Juvénal, *Satire*, XIII, 60.)

39. « Nihil est tam populare quam bonitas. » (Cicéron, *Plaidoyer pour Ligarius*, XII.)

40. Apollonios de Tyane (16-97 après J.-C.), philosophe néo-pythagoricien.

41. Quintus Caecilius Metellus Macedonicus (207-115 av. J.-C.), consul romain. Il transforma la Macédoine en province romaine, d'où son nom.

42. Formule attribuée à Charles VIII.

43. « Quo quis versutior et callidior est, hoc invisior et suspectior, detracta opinione probitatis. » (Cicéron, *Des devoirs*, II, IX.)

44. Tibère (42 av. J.-C., 37) est le deuxième empereur romain (14-37). D'après Tacite, dans ses *Annales* (I, 11), il s'exprimait toujours en termes obscurs et ambigus...

45. Soliman le Magnifique (1494-1566), sultan ottoman, l'un des plus éminents monarques de l'Europe du XVIe siècle. Adversaire acharné de Charles Quint, il conclut une alliance avec François Ier.

46. Aristippe de Cyrène (435-356 av. J.-C.), philosophe grec, disciple de Socrate, fondateur du cyrénaïsme, école philosophique hédoniste.

47. Messalla Corvinus (64-8 après J.-C.), sénateur et écrivain romain.

48. Georges de Trapézonce (ou de Trébizonde) (1396-1472), philosophe grec, un des principaux humanistes de la Renaissance italienne.

49. « Memoria certe non modo philosophiam, sed omnis vitae usum omnesque artes una maxime continet. » (Cicéron, *Académiques*, I, II, 7.)

50. « Plenus rimarum sum, hac atque illac effluo. » (Térence, *Eunuque*, I, II, 25.)

51. *Cf.* Cicéron, *De la vieillesse*, VII : « Jamais je n'ai ouï dire que des vieillards eussent oublié l'endroit où ils avaient enfoui leur trésor. »

52. « Nasutus sis usque licet, sis denique nasus,/Quantum noluerit ferre rogatus Atlas,/Et possis ipsum tu deridere Latinum,/Non potes in nugas dicere plura meas/Ipse ego quam dixi : quid dentem dente juvabit/Rodere ? carne opus est, si satur esse velis./Ne perdas operam : qui se mirantur, in illos/Virus habe ; nos hæc novimus esse nihil. » (Martial, *Épigrammes*, XIII, II.)

53. René d'Anjou (1409-1480), comte de Provence, roi de Sicile et de Naples. François II (1544-1560), fils d'Henri II et de Catherine de Médicis, fut roi de France à quinze ans, l'espace d'un an et demi en 1559-1560. Marié à Marie Stuart, il confie le gouvernement du royaume aux Guise, qui répriment les réformés.

54. « Ne si, ne no, nel cor mi suona intero. » (Pétrarque, *Sonnets*, CXXXV.)

55. « Dum in dubio est animus, paulo momento huc atque Illuc impellitur. » (Térence, *Andrienne*, acte I, VI, 32.)

56. « Sors cecidit super Mathiam. » (*Actes des apôtres*, I, 26.)

57. « Ipsa consuetudo assentiendi periculosa esse videtur et lubrica. » (Cicéron, *Académiques*, II, XXI.)

58. « Justa pari premitur veluti cum pondere libra/Prona, nec hac plus parte sedet, nec surgit ab illa. » (Tibulle, *Panégyrique à Messala*, IV, I, 41.)

59. Par exemple le réformé Innocent Gentilet auteur du traité intitulé *Discours sur les moyens de bien gouverner* (1576), ouvrage généralement surnommé l'*Anti-Machiavel.*

60. « Cædimur, et totidem plagis consumimus hostem. » (Horace, *Épîtres*, II, II, 97.)

61. « Nunquam adeo faedis adeoque pudendis/Utimur exemplis ut non pejora supersint. » (Juvénal, *Satire*, VIII, 183.)

62. « Mihi nempe valere et vivere doctus. » (Lucrèce, *De la nature*, V, 959.)

63. « Nemo in sese tentat descendere. » (Perse, *Satire*, IV, 23.)

64. « Omnino, si quidquam est decorum, nihil est profecto magis quam æquabilitas universæ vitæ, tum singularum actionum : quam conservare non possis, si, aliorum naturam imitans, omittas tuam. » (Cicéron, *Des devoirs*, I, XXXI.)

65. Étienne de La Boétie est mort en 1563, dans sa trente-troisième année.

66. Claude Galien (129-216), médecin grec, un des pères de la pharmacie.

67. Ulpien (170-224), homme politique et juriste romain.

68. Saint Jérôme (vers 347-420), Père et docteur de l'Église romaine, il a traduit la Bible en latin (la *Vulgate*).

69. *Cf.* Montaigne, *De l'Institution des enfants*, Mille et une nuits, 2002.

70. « Faciasne quod olim/Mutatus Polemon ? ponas insignia morbi,/Fasciolas, cubital, focalia, potus ut ille/Dicitur ex collo furtim carpsisse coronas,/Postquam est impransi correptus voce magistri ? » (Horace, *Satires*, II, III, 253.)

71. « Plus sapit vulgus, quia tantum quantum opus est sapit. » (Lactance, *Institutions divines*, III, V.)

72. François de Guise (1520-1563=, compagnon d'enfance d'Henri d'Orléans, futur Henri II, devient l'un de ses meilleurs chefs d'armée. À la mort du roi, il gouverne la France et prend la tête du parti des catholiques. Il est assassiné à Orléans en 1563.

73. Michel de L'Hospital (1506-1573), écrivain et homme politique français.

74. Jean Daurat (1508-1588), poète français de la Pléiade.

75. Théodore de Bèze (1519-1605), humaniste suisse, poète, théologien, il succède à Jean Calvin à la tête de l'Académie de Genève.

76. Georges Buchanan (1506-1582), poète et historien écossais.

77. Pierre de Montdoré (1505-1570), magistrat et bibliothécaire du roi.

78. Adrien Turnèbe (1512-1565), poète et humaniste français.

79. Ferdinand Alvare de Tolède, duc d'Albe (1507-1582), Grand d'Espagne, combattit auprès de Charles Quint puis au

service de Philippe. Il guerroie contre les réformés, notamment aux Pays-Bas espagnols dont il est le gouverneur.

80. Anne de Montmorency (1493-1567), auprès de François Ier à Marignan en 1515, mène les troupes françaises contre Charles Quint. Il est fait connétable de France en 1538. Il contribue à la signature du traité de paix entre le royaume de France, l'Espagne et l'Angleterre en 1559. Dans les guerres de religion, il est avec le duc de Guise et Saint-André à la tête du parti catholique.

81. Paragraphe longtemps considéré comme suspect dans la mesure où la personne dont il est fait ici l'éloge est celle-là même qui a assuré l'édition en 1595 : Marie de Gournay.

Qui suis-je ?

Dans l'avis *Au lecteur* qui ouvre la première édition (1580) de ses *Essais*, Montaigne annonce le dessein qu'il forme depuis déjà dix années et qui l'occupera encore jusqu'à la fin de ses jours, douze ans plus tard : « C'est moi que je peins », dit-il. « Je suis moi-même la matière de mon livre », « sujet si frivole et si vain »… Et, dans le texte que nous proposons ici, *Des idées que l'on se fait sur soi (De la présomption)*, Montaigne offre au lecteur un de ces essais où la peinture du moi est des plus complètes et des plus insolites. S'il nous apparaît aujourd'hui si familier, un tel projet avait toutefois de quoi surprendre en son temps. Montaigne n'a jamais ménagé ses efforts pour en justifier l'entreprise. Un gentilhomme n'a-t-il pas mieux à faire en effet que de se retrancher dans son domaine pour confier à son papier, au fil de la plume, ses réflexions sur le monde et les mœurs, sur sa lecture des auteurs antiques, mais aussi sur sa frêle constitution physique, sa mauvaise mémoire, son manque d'assurance et la vanité de ses propres actions publiques et privées?

À près de quarante ans, âge déjà bien avancé pour l'époque, Montaigne vend sa charge de conseiller au Parlement de Bordeaux et se retire dans la ferme familiale du Périgord, à un jet de flèche de Castillon-la-Bataille, à quelques heures de cheval de Bordeaux et de Bergerac. Là, dans un angle de la maison, il aménage une bibliothèque (qui comptera jusqu'à mille ouvrages), pièce dans laquelle il entend désormais consacrer le restant de ses jours à écrire et à méditer en compagnie des grands esprits de l'Antiquité – Épictète, Sénèque, Plutarque, Sextus Empiricus, Lucrèce, Marc Aurèle, Platon, Cicéron... – dont il fait graver les maximes sur les poutres et les solives du plafond afin d'avoir toujours sous les yeux, quand il cherche l'inspiration, les recommandations des plus sages. On peut voir dans cette retraite la marque d'une profonde lassitude pour les affaires publiques autant que l'expression d'une extrême prudence envers les bouleversements politico-religieux qui mettent alors le pays à feu et à sang (les rivalités des royaumes de Navarre et de France, les activités séditieuses de la Ligue du duc de Guise, la guerre fratricide des catholiques et des protestants...). D'une certaine façon, dans un monde en proie à la violence, traversé par les forces héraclitéennes du devenir perpétuel, quand tout – mœurs, langues, croyances, nations, empires – est voué à changer, à vieillir et à disparaître, le philosophe fait peut-être œuvre de sagesse en recherchant en lui-même, loin des sables mouvants de la réalité immédiate qui l'entoure, un point d'appui pour l'action et pour la connaissance. C'est ainsi que Montaigne, en faisant de sa bibliothèque le centre névralgique de son activité intellectuelle et de sa vie d'honnête homme, tisse en une même étoffe ses lectures et ses expériences, lie désormais sa vie à son livre.

Tel pourrait être, au fond, le sens de ce qui apparaît comme la reprise très personnelle de l'injonction socratique de suivre la maxime inscrite au fronton du temple d'Apollon à Delphes : « Connais-toi toi-même. » Contre les désordres du monde, le « moi », ou « l'âme », est peut-être bien le dernier « lieu » d'une retraite tout intérieure, une protection contre les tracas du dehors. Mais du projet à sa réalisation, l'esprit rencontre bientôt de redoutables obstacles. Il n'est pas si aisé de se voir et *a fortiori* de se représenter tel que l'on est. Les conventions, les cérémonies, les usages justement nous l'interdisent : comment se mettre à nu quand le siècle ne jure que par la pudeur, la dissimulation et la flatterie ? Et Montaigne de gratter le mille-feuilles des conventions et des bienséances et, comme s'il s'agissait de la statue de Glaucos, qu'un séjour prolongé dans les profondeurs de la mer a rendu méconnaissable, de s'évertuer à révéler, strate après strate, l'être même qu'il est… Il a beau soulever cette première écorce, faire sauter une à une les couches sédimentées de son « être » social, que trouve-t-il au juste ? Une multiplicité de sentiments, d'émotions disparates, de souvenirs émus, d'aversions plus ou moins contenues, une collection de qualités et de défauts atomisés, détachés les uns des autres, eux-mêmes pris dans un flux perpétuel, mais d'unité du moi, point.

À supposer qu'on parvienne à se montrer dans le plus simple appareil, à tenir à distance les conventions qui nous brident, à atteindre ce moi hypothétique, serait-on de toute façon le mieux placé pour parler de soi ? Dans la recherche introspective, l'esprit se confronte d'abord à ses propres passions, dont la présomption qui conduit à se raconter des histoires sur son propre compte, à se voir en tout cas autre que ce que l'on est, par cette sorte d'estime excessive que l'on se porte et qui dévalorise tout ce qui n'est pas soi.

Dans ces conditions, non seulement le monde est un branlement perpétuel[1], agité d'infinis désordres et peuplé de simulacres, mais le « sujet » est loin d'être ce point fixe auquel se raccrocher, même de façon momentanée. Lui-même se trouve emporté dans le vaste mouvement. Pis encore, chacun s'entendant si bien à se piper lui-même, le sujet est, au cœur du tourbillon du devenir, le foyer imaginaire de toutes les illusions...

À bien des égards, la peinture du moi apparaît donc comme une entreprise vaine, inévitablement approximative, prise dans les rets de l'égotisme, du narcissisme présomptueux, si bien qu'on serait prêt à donner raison à Pascal qui voyait dans la peinture du moi rien de moins qu'un « sot projet[2] ». Mais l'autoportrait que livre Montaigne est justement tout sauf une mise en scène affectée. À l'évidence, il est sincère. Nulle complaisance à son endroit, nul atermoiement de circonstance. Le Montaigne des *Essais* n'est pas le Jean-Jacques des *Confessions.* Au contraire, peut-être lui reprocherait-on d'avoir parfois le trait épais quand il peint ses si nombreux défauts. Aussi, quand elle met au jour le déterminisme des passions – les forces occultes du corps, les travers non moins secrets de l'esprit –, cette mise en abîme est-elle, pour le coup, loin d'être une démarche insensée. Le mérite d'une philosophie est moins dans sa vérité absolue que dans sa fécondité. Et d'une certaine façon, en peignant son autoportrait, Montaigne souligne l'essentiel : la difficulté de se défaire de ses propres illusions et l'inconstance naturelle du jugement. Car les obstacles que l'esprit rencontre d'abord ne sont pas tant entre les choses et lui que dans cette fausse proximité que chacun s'imagine entretenir avec lui-même. Et si l'on ne commence par les mettre en évidence, comment retrouver le sens exact de l'exercice du jugement, sans lequel il n'est de véritable esprit libre? De ce point de vue, il est naturel qu'à l'interrogation pyrrhonienne du « Que sais-je? » réponde celle, éminemment moderne, du « Qui suis-je? ».

Christophe SALAÜN

Notes

1. *Cf. Essais,* III, 2 « Du repentir ».
2. *Cf.* Blaise Pascal, *Pensées,* n° 62 (édition Brunschvicg).

Vie de Montaigne

28 février 1533. Naissance de Michel Eyquem de Montaigne au château de Montaigne, près de Bordeaux.

1535. Son père, Pierre Eyquem, entend élever son fils dans les principes de l'humanisme. Il le confie aux soins d'un précepteur allemand qui reçoit la consigne de ne s'adresser à Michel qu'en latin.

1540-1546. Montaigne étudie au collège de Guyenne à Bordeaux. Il y apprend le français, le grec ancien et la rhétorique. Il impressionne bientôt par son éloquence et la maîtrise théâtrale du discours.

1549. Les troubles qui se déroulent à Bordeaux l'obligent à quitter l'université de la ville, où il a commencé des études de droit, pour aller s'installer à Toulouse.

1554. Montaigne est nommé conseiller à la Cour des Aides de Périgueux.

1557. Montaigne entre au Parlement de Bordeaux.

1558. Il fait la connaissance d'Étienne de La Boétie, son collègue au Parlement de Bordeaux. C'est la naissance d'une profonde amitié qui réunit les deux hommes jusqu'à la mort prématurée de La Boétie en août 1563.

1559. Montaigne effectue plusieurs voyages officiels à Paris.

1561. Le Parlement de Bordeaux le charge d'une mission au sujet des troubles religieux en Guyenne. Montaigne séjourne ensuite à Paris où il fait preuve d'ambition politique avant de connaître quelques déceptions.

1563. Mort d'Étienne de La Boétie à Germinan, près de Bordeaux. Montaigne hérite des manuscrits laissés par son ami.

1565. Mariage avec Françoise de La Chassaigne qui lui donnera six filles, dont une seule, Léonor, survivra.

1568. Mort de son père, Pierre Eyquem. Michel devient seigneur de Montaigne.

1569. Première édition à Paris de sa traduction de la *Théologie naturelle* de Raimond Sebond.

1570. Montaigne vend sa charge de conseiller au Parlement de Bordeaux et revient à Paris, où il fait publier les poésies et les traductions de La Boétie.

1571. Installation au château de Montaigne, où il fait graver des citations latines sur les poutres de sa bibliothèque. Il exprime sa lassitude des charges;

Charles IX le nomme gentilhomme de la chambre du roi.

1572. En pleine guerre civile, Montaigne travaille à ses *Essais*, tout en menant des activités politiques de négociateur entre Henri de Navarre et le duc de Guise.

1574. Montaigne est envoyé en mission au Parlement de Bordeaux par le duc de Montpensier ; il y prononce un discours au sujet de la défense de la ville contre les protestants.

1577-1580. Henri de Navarre le nomme gentil-homme de sa chambre. Premières atteintes de la gravelle, dont Montaigne souffrira jusqu'à la fin de sa vie. Il lit beaucoup : César, Sénèque et Plutarque. Ce dernier auteur est plus qu'aucun autre à la source des *Essais*.

1580. Publication de la première édition des *Essais* (Livres I et II), à Bordeaux. Il part en voyage de santé à travers la France, en Suisse et en Italie. En septembre 1581, c'est à Lucques, où il séjourne pour les bains, qu'il apprend sa nomination comme maire de Bordeaux.

1582. Première charge de maire de Bordeaux. Il fait de longs séjours à Montaigne et à Paris. Parution de la deuxième édition des *Essais*, à Bordeaux.

1584. Il est nommé maire de Bordeaux pour la seconde fois.

1585. Montaigne fait office de conciliateur entre le maréchal de Matignon, gouverneur de Guyenne, et Henri de Navarre. En juin, épidémie de peste à Bordeaux : Montaigne et sa famille s'en éloignent durant plusieurs mois.

1586. Montaigne commence le Livre III des *Essais*.

1587. Troisième édition des Livres I et II des *Essais*, à Paris cette fois-ci.

1588. Pendant un séjour à la Cour, il fait la connaissance de Marie de Gournay, qui deviendra sa « fille d'alliance ». Correspondance avec Juste Lipse, qui le surnomme le « Thalès français ». Le 12 mai, Journée des barricades, il quitte Paris à la suite de Henri III pour se rendre à Chartres et à Rouen. Quatrième édition des *Essais*, dite par erreur la cinquième, qui compte de nombreuses additions aux Livres I et II et, pour la première fois, le Livre III. En octobre, il assiste aux états généraux de Blois ; il y rencontre de Thou et Pasquier avec lesquels il se lie d'amitié.

1588-1592. Il se consacre à ses *Essais*, lit de nombreux auteurs anciens (Hérodote, Diodore, Tite-Live, Tacite, saint Augustin, Aristote, Cicéron, Diogène Laërce...), ainsi que de nombreux livres d'histoire sur l'Amérique et l'Orient.

1590. Montaigne écrit une lettre à Henri IV, qui peut être considérée comme son testament politique.

13 septembre 1592. Michel de Montaigne meurt chez lui, au cours d'une messe prononcée dans sa chambre. Il est enterré dans l'église des Feuillants, à Bordeaux.

1595. Publication posthume des *Essais* par Mlle de Gournay.

1676. Les *Essais* sont mis à l'*Index librorum*. Pendant un demi-siècle, il ne paraîtra plus d'édition nouvelle des *Essais* et il faudra attendre la génération de Voltaire pour que Montaigne revienne à l'honneur.

Repères bibliographiques

OUVRAGES DE MONTAIGNE
Éditions des *Essais*
♦ *Essais*, édition Pierre Villey, PUF, coll. « Quadrige », 1992.
♦ *Essais*, orthographe modernisée, Gallimard, coll. « Folio classique », 2009.
♦ *Essais*, transcription en français moderne par André Lanly, Gallimard, coll. « Quarto », 2007.
♦ *Essais*, traduction en français moderne par Guy de Pernon, 2007 (http://hyperlivres.net).

ÉTUDES SUR MONTAIGNE
♦ CAUDRON (Hervé), *Apprendre à philosopher avec Montaigne*, Ellipses, 2013.
♦ COMPAGNON (Antoine), *Un été avec Montaigne*, Éditions des Équateurs, 2013.
♦ CONCHE (Marcel), *Montaigne et la philosophie*, Mégare, 1987.
♦ JEANSON (Francis), *Montaigne*, Le Seuil, coll. « Écrivains de toujours », 1951.
♦ LACOUTURE (Jean), *Montaigne à cheval*, Le Seuil, 1996.
♦ STAROBINSKI (Jean), *Montaigne en mouvement*, Gallimard, 1982.
♦ ZWEIG (Stéphane), *Montaigne*, PUF, coll. « Quadrige », 1992.

Mille et une nuits propose des chefs-d'œuvre pour le temps d'une attente, d'un voyage, d'une insomnie…

La Petite Collection (extrait du catalogue) 614. Charles Baudelaire, *Naissance de la musique moderne. Richard Wagner et Tannhäuser à Paris*. 615. Joseph Conrad, *Un anarchiste. Un conte désespéré*. 616. Alphonse Daudet, *Ultima ou la Dernière Heure d'Edmond de Goncourt*. 617. Karl Marx, *L'Opium du peuple*. 618. Georges Feydeau, *Léonie est en avance ou le Mal joli*. 619. Tobie Nathan, *Tous nos fantasmes sexuels sont dans la nature*. 620. Plutarque, *Vertus de femmes*. 621. Denis Diderot, *L'Encyclopédie – 50 articles fondamentaux*. 622. Heinrich von Kleist, *Michael Kohlhaas*. 623. Arrigo Boito, *Le Fou noir*. 624. Alain Créhange, *Devinaigrette. Méli-mélo de motsvalises*. 625. Jean-Paul Morel, *Le Meilleur des insultes et autres noms d'oiseaux*. 626. Christophe Salaün, *L'Art du bonheur selon les philosophes*. 627. Jérôme Vérain, *Des mots d'amour*. 628. Patrick Besson, *Nouvelle Galerie*. 629. Anacharsis Cloots, *La République du genre humain*. 630. Félix Vallotton, *« La vie est une fumée ». Lettres et écrits choisis*. 631. René Descartes – Pierre Chanut, *Lettres sur l'amour*. 632. Voltaire, *Pensées végétariennes*. 633. Aurèle Patorni, *Notes d'un embusqué*. 634. Jean-Louis François, *1914, un centenaire. Le dernier éclat de rire avant la Grande Guerre*. 635. Alain Vircondelet, *Rencontrer Marguerite Duras*. 636. Françoise Choay, *Victor Hugo avec Claude Lévi-Strauss*. 637. Jean-Paul Morel, *Pour le meilleur et pour le pire*. 638. Catherine Dufour, *La Vie sexuelle de Lorenzaccio*. 639. Aurélien Scholl, *L'Art de rendre les femmes fidèles*. 640. Sébastien Bailly, *Le Meilleur des vannes*.

Pour chaque titre, le texte intégral, une postface, la vie de l'auteur et une bibliographie.

76.40.0006.4/01
Achevé d'imprimer en octobre 2014
par La Nouvelle Imprimerie Laballery (Clamecy, France).
N° d'impression : 410200